Diffodd y golau

gan Manon Steffan Ros
dyluniwyd gan Rhiannon Sparks

Mai

O, mam bach! Welsoch chi ddim byd mor dwp yn eich bywyd erioed.

Roedd Rhys wastad wedi cael ei sbwylio'n ofnadwy gan ei fam a'i dad. Roedd o'n cael pob peiriant gêmau, pob DVD neu gêm oedd yn cymryd ei ffansi. Roedd ganddo ei gyfrifiadur ei hun a theledu bron yr un maint â'r wal yn ei lofft, ac roedd o wastad yn cael yr iPad diweddaraf. Yn waeth na hyn i gyd, roedd o'n gwneud yn siŵr fod pawb yn y dosbarth yn gwybod bod ganddo fo fwy na phawb arall.

'Be' sy' gen ti yn fan 'na? *Action Super Fight 2*?
Mae *Action Super Fight 3* gymaint yn well ... '

'Mae dy bêl droed di'n iawn. Yn iawn i'w defnyddio
yn iard yr ysgol. Dydw i ddim yn cael dod â 'mhêl i mewn –
mae Mam yn dweud nad ydy hi isio i mi golli pêl sydd wedi
costio dros hanner can punt!'

'Dwi'n hoffi dy drênyrs di. Roedd gen innau rai fel
'na, cyn i Dad brynu rhai gwell i mi.'

Dwi'n gwneud iddo fo swnio'n ofnadwy, on'd ydw?
Ond dydy Rhys ddim yn ddrwg, dim ond ei fod o wedi cael
ei sbwylio'n ofnadwy. Weithiau, byddaf i'n teimlo piti
drosto fo am ei fod o'n trio dangos ei hun. Trio cael pobol
i'w hoffi fo mae o, ac mae hynny'n gweithio am dipyn. Ond
byth am amser hir iawn.

Cafodd Rhys gyfnod y llynedd o drio bod yn ffrind
gorau i Sam, fy ngefell, ond pharodd hynny ddim yn hir.
Roedd o'n prynu pethau i Sam bob yn ail ddydd: fferins neu
siocled, neu weithiau, hyd yn oed, gêmau. Dydy Sam ddim
y math o fachgen sy'n ffraeo ag unrhyw un, ond dwi'n
meddwl ei fod o wedi mynd i deimlo'n reit anghyffyrddus
am dderbyn yr holl bethau gan Rhys, ac yn y diwedd, aeth
yn ôl at ei hen fêts.

Beth bynnag, ei bartïon pen-blwydd. Y rheini ydy'r
gwaethaf. Mae ei rieni'n mynnu mynd dros ben llestri'n
llwyr, a phob blwyddyn yn waeth na'r un ddiwethaf.

Dyma rai enghreifftiau i chi:

1. Parti pen-blwydd Rhys yn 8.

Llogodd ei fam y sinema yn y dref i ddangos y ffilm
Spiderman newydd sbon. Roedd 'na beiriant pop corn a
phic-a-mics a phop, i gyd am ddim. Cyn ac ar ôl y ffilm,
roedd y sgrin yn dangos lluniau o Rhys, wedi'u tynnu o'r

adeg pan oedd o'n fabi hyd at wythnos ynghynt. Doedd bwyta pic-a-mics wrth edrych ar lun o Rhys yn fabi bach yn eistedd ar y poti ddim yn brofiad braf.

2. Parti pen-blwydd Rhys yn 9.

Llogodd tad Rhys fws i fynd â'r dosbarth cyfan i rywle yn ymyl y Rhyl i sglefrio rhew. Cwympodd Jess, fy ffrind gorau, a brifo ei harddwn, ond doedd gan rieni Rhys fawr o gydymdeimlad. Tra oedd pawb arall mewn bwyty yn cael byrgyr a sglodion ar y ffordd adref, roeddwn i'n eistedd efo Jess ar y bws, yn trio ei chysuro hi. Doedd o ddim yn brofiad braf. Ar ôl mynd adref, aeth rhieni Jess â hi i'r ysbyty a darganfod ei bod hi wedi torri asgwrn yn ei harddwn. Roedd hi mewn plastr am chwe wythnos.

3. Parti pen-blwydd Rhys yn 10.

Roedd hwn yn wirioneddol ofnadwy. Gan fod pen-blwydd Rhys ddiwedd mis Awst, gwnaeth ei rieni'r camgymeriad o feddwl yn siŵr y byddai hi'n braf. Dyna oedd rhagolygon y tywydd yn ei ddweud. Trefnwyd y parti ar y traeth, efo barbeciw anferth a chonsuriwr a dyn oedd wedi cael ei dalu i ddod i wneud cerfluniau allan o'r tywod. Roedd hi'n braf am tua hanner awr, ac wedyn daeth taran anferth a mellt yn fforchio'r awyr. Roedd y glaw yn ofnadwy, fel rhywbeth allan o ffilm am ddiwedd y byd. Er i'r parti gael ei symud i dŷ Rhys, doedd bwyta cacen laith a ninnau'n rhewi mewn siorts a fest wlyb ddim yn brofiad braf.

Ac felly dyna ni, wedi cyrraedd pen-blwydd Rhys yn un ar ddeg. O, bobol bach! Roeddwn i wedi hanner gobeithio na fyddwn i'n cael gwahoddiad eleni, ond na, roedd y dosbarth cyfan wedi derbyn cerdyn mawr efo llun cartŵn o Rhys ar y tu blaen. Byddwn i wedi medru peidio â mynd, am wn i, ond roeddwn i'n teimlo'n chwilfrydig ar ôl yr holl sôn yn yr ysgol.

'Mae Mam wedi gwario *miloedd* ar y parti yma. *Miloedd*,' meddai Rhys un amser chwarae wrth bwy bynnag oedd yn ddigon agos i glywed. 'Mae'r bwyd yn mynd i gostio dros dri chan punt!'

Roeddwn i'n amheus am hynny. Pwy sy'n gwario tri chan punt ar fwyd parti? Ond ar ôl i mi gyrraedd, roedd hi'n amlwg fod Rhys yn dweud y gwir.

Roedd o'n chwerthinllyd o dros ben llestri.

Roedd mam Rhys wedi llogi cae ar gyrion y dref, ac wedi codi clamp o babell fawr ynddo, fel yr un yn yr Eisteddfod, ond fymryn yn llai. Y tu mewn, roedd llawer o fyrddau bach efo canhwyllau arnyn nhw, a lluniau o Rhys dros bob man. Roedd DJ yn chwarae hoff gerddoriaeth Rhys, a goleuadau amryliw yn fflachio. A'r bwyd! Pethau crand fel byrgyrs bach bach, a chŵn poeth bach bach, a ffrwythau nad oeddwn i wedi clywed amdanyn nhw o'r blaen, a jariau o dda-da. Roedd y gacen ar fwrdd yng nghanol y lle – cacen anferth oedd hi hefyd, yr un siâp â llosgfynydd ond efo da-da a siocled yn ffrwydro ohoni yn lle magma. Roedd pawb wedi gwisgo'n smart. (Roedd y gwahoddiadau wedi rhoi cyfarwyddiadau pendant – *Gwisgwch yn grand!*) Am mai parti yn y nos oedd o, roedd y goleuadau bach uwchben yn edrych fel sêr.

'Waaaaw!' ebychodd Sam, fy ngefell, wrth i ni gyrraedd. Roedd y parti yn ei anterth yn barod, a phawb yn sglaffio neu'n dawnsio. Edrychais draw ar Sam. Roedd o'n syllu o gwmpas y lle, yn hollol gegrwth.

'Ia, waw,' cytunais. 'Waw ei fod o'n cael parti mor ddi-chwaeth! Pwy mae o'n meddwl ydy o?'

Ysgydwodd Sam ei ben a gwgu arna i. 'Dwyt ti ddim yn dweud o ddifri' nad wyt ti'n licio hyn i gyd?'

'Nid dyna ddywedais i,' atebais yn bendant. 'Mae o'n iawn i briodas, neu i barti pen-blwydd rhywun yn ... www, wn i ddim ... wyth deg oed? Cant?'

Penderfynodd Sam fy anwybyddu. 'Sbïa ar y gacen yna! Mae hi wir yn edrych fel llosgfynydd!'

'Ydy, tasa 'na losgfynyddoedd sy'n ffrwydro pic-a-mics. A does 'na ddim.'

Rhedodd Oli, ffrind gorau Sam, draw. 'Tyrd i weld y byrgyrs bach 'ma, Sam! Rydan ni'n cael cystadleuaeth i weld pwy sy'n gallu ffitio'r nifer mwyaf yn ei geg ar unwaith!'

Diolch byth, roeddwn i wedi gweld Jess erbyn hynny, felly welais i fawr ddim o Sam am weddill y parti.

'Fedri di goelio hyn?' meddai Jess gan rolio ei llygaid. Roedd hi'n edrych yn wahanol iawn i'r arfer, mewn ffrog hir flodeuog. 'Am ffws mawr, dim ond i ddathlu pen-blwydd rhywun yn un ar ddeg!'

Diolch byth, meddyliais gyda gwên. Rhywun oedd yn gall, fel fi.

Sam

Roedd o'n anhygoel.

Cyn i ni fynd adref, cafodd pawb eu hanfon y tu allan. Roeddwn i'n meddwl bod hynny'n rhyfedd, braidd, a hithau fel bol buwch y tu allan a phob dim mor gynnes a chlyd y tu mewn i'r babell fawr. Ond wedyn dechreuodd y sioe fawr.

Tân gwyllt.

Roedd o'n anhygoel. Aeth yr holl beth ymlaen am bum munud, gan lenwi'r awyr â lliwiau. Wrth i bawb wylio'r awyr, cymerais innau gip draw ar Rhys, oedd yn sefyll yn y blaen. Roedd ei fam a'i dad yn sefyll y tu ôl iddo, law yn llaw, ac roedden nhw'n sbïo arno fo mor gariadus. Roedd y ddau mor falch i'w mab gael parti mor llwyddiannus.

Mae'n rhaid eu bod nhw'n ei garu o'n fawr i wario cymaint o bres arno fo.

Ar ôl i'r tân gwyllt orffen, aeth pawb yn ôl i'r babell i ganu pen-blwydd hapus i Rhys a chael darn o gacen. Roedd o'n anhygoel – cacen siocled oedd hi, a chefais i ddarn efo ychydig o Maltesers a llygod bach siocled gwyn. Ar ôl bwyta fel mochyn drwy'r nos, roeddwn i'n teimlo braidd yn sâl wedyn, ond doedd dim ots.

Ar ôl cael bag parti yr un i fynd adref, dechreuodd pawb adael. Ffarweliais ag Oli a'r hogiau, cyn dechrau cerdded adref gyda Mai, fy ngefeilles.

'Wnest ti flasu'r gacen yna?' gofynnais wrth i ni gerdded i fyny'r lôn am adref. 'Roedd hi'n anhygoel!'

'Mi ges i ychydig. Roedd hi'n ocê.'

Ysgydwais fy mhen. Mae Mai yn anodd iawn ei phlesio weithiau. 'O, tyrd yn dy flaen, Mai. Roedd hwnna'n barti anhygoel.'

'Os wyt ti'n licio'r math yna o beth.'

Yn ôl yn y tŷ, roedd Mam yn aros amdanon ni. Roedd hi'n hwyr, ond ar ôl newid i'n pyjamas, cefais i a Mai eistedd wrth fwrdd y gegin i yfed llaeth cynnes ac i drafod y parti.

Gwagiais fy mag parti ar y bwrdd.

'Bobol bach! Cit hofrennydd model; bar siocled anferth; sticeri pêl-droed; bag o dda-da!' Gwenais o glust i glust. Roedd rhieni Rhys mor hael! 'Sbïa i weld be' gest ti, Mai!'

Trodd Mai ei bag parti hithau ben i waered dros y bwrdd. Roedd hi wedi cael yr un fath â fi, heblaw iddi gael math gwahanol o siocled, a rhyw boteli paent ewinedd yn lle'r hofrennydd model.

'Waw!' ebychodd Mam ac eistedd yn ein hymyl. 'Darn o gacen a balŵn roedden ni'n eu cael mewn bagiau parti pan o'n i'n iau.'

Gwthiodd Mai y poteli paent ewinedd dros y bwrdd at Mam. 'Dyma ti. Dwi ddim yn licio rhoi lliw ar fy ewinedd.'

Craffodd Mam ar Mai. 'Be' sy'n bod, cyw? Chest ti ddim hwyl yn y parti?'

Ochneidiais. 'Roedd hi wedi penderfynu cyn mynd ei bod hi'n mynd i'w gasáu o!'

'Nac oeddwn, tad! Ro'n i jest yn meddwl ei fod o … braidd yn ormod i barti pen-blwydd. A rŵan bydd pawb arall yn meddwl bod eu partïon pen-blwydd nhw ddim cystal achos nad oes ganddyn nhw filoedd o bunnoedd i'w gwario … '

Doeddwn i ddim wedi meddwl am hynny.

'Poeni am be' fydd yn digwydd ar eich pen-blwydd chi ydach chi, Mai?' gofynnodd Mam, gan chwythu ei diod i'w hoeri.

Cododd Mai ei hysgwyddau. 'Fawr o ots gen i am barti. Dwi jest ddim yn licio bod Rhys yn dangos faint o bres sydd ganddo fo o hyd.'

'Wel, a dweud y gwir, dwi wedi bod yn meddwl am eich pen-blwydd chi. Mi wn i fod 'na amser maith i fynd, ond ro'n i'n meddwl … os ydan ni'n dechrau rhoi ychydig o arian i'r naill ochr rŵan, a chynilo'n araf, erbyn hynny bydd 'na ddigon o gelc i fynd â ni'n tri am drip i barc antur Parc y Deri!'

Gwirionodd Mai a minnau ar y syniad. Chwarae teg i Mam. Doedd pethau ddim wedi bod yn hawdd arni ers i Dad adael, ond roedd hi wedi cael mwy o shifftiau yn y ffatri rŵan, ac roedd hi'n amlwg wedi bod yn meddwl am sut i roi pen-blwydd perffaith i ni. Dim ots am Rhys a'i dân gwyllt a'i gacen anferth – roedd diwrnod ym Mharc y Deri ganwaith gwell!

Noson hyfryd oedd honno. Bu Mam a Mai a minnau'n eistedd tan berfeddion, yn sgwrsio ac yn chwerthin. Dwi'n meddwl ein bod ni'n tri mor llawn cyffro â'n gilydd am fynd i Barc y Deri, hyd yn oed Mam. Ymestynnodd hi'r gliniadur a'n tywys ni i wefan Parc y Deri i gael gweld yr holl reidiau.

'Bydd hyd yn oed Rhys yn eiddigeddus!' gwenodd Mai. 'Mi fetia i chi y bydd o'n mynd â'r dosbarth i gyd i Barc y Deri ar ei ben-blwydd yn ddeuddeg.' Tynnu coes roedd hi, a methais beidio â chwerthin.

'Ac yn mynd â nhw mewn ceir Limousine,' ychwanegais.

'A bydd ei gacen o wedi ei gwneud o filoedd o Mars bars a bydd hi'r un maint â Chadair Idris ... ' meddai Mam.

'A bydd y bagiau parti yr un maint â bagiau bin, ac yn llawn papurau hanner can punt.'

Wrth orwedd yn fy ngwely'r noson honno, roeddwn i'n wirioneddol fodlon. Fel arfer, dwi'n tueddu i boeni am bethau'n hwyr yn y nos, pethau nad oes gen i reolaeth drostyn nhw, fel pam mae rhyfel mewn gwledydd pell a pham mae plant bach yn marw o newyn a pham nad yw Dad byth yn ffonio. Ond am unwaith, roeddwn i'n gwbl fodlon. Efallai bod gan rieni Rhys fwy o bres na ni, ac efallai na chawn ni byth bartïon cystal â'r un y bûm i ynddo heno, ond roeddwn i'n cael mynd i Barc y Deri ar fy mhen-blwydd. Roedd pawb yn ein tŷ ni wedi mynd i'w gwlâu yn wên o glust i glust.

Dwi'n cofio'r prynhawn hwnnw fel tasa hi'n ddoe.

On'd ydy o'n beth rhyfedd? Weithiau, pan fydd pethau da yn digwydd, mae rhywun yn gwneud ei orau glas i gofio pob manylyn – rhyw jôc, efallai, neu flas cacen pen-blwydd hyfryd. Ond buan iawn y byddaf i'n anghofio pethau felly. Y pethau drwg sy'n aros yn fy meddwl i.

Roedd hi'n brynhawn fel pob un arall yn ein tŷ ni. Roedd mwy na phythefnos wedi mynd heibio ers parti Rhys. Roedd Mai'n flin fel tincer (mae hi wastad yn flin pan fydd hi'n llwglyd) a minnau'n trio gorffen gwaith cartref daearyddiaeth wrth fwrdd y gegin. Roedd Mam yn hwylio brechdan i ni'n dau, ac roedd y radio'n canu yn y cefndir. Mae Mam wrth ei bodd efo'r radio. Dyna'r peth cyntaf y bydd hi'n ei wneud pan fydd hi'n deffro yn y bore, a phan fyddwn ni'n dychwelyd ar ôl iddi ein nôl ni o'r clwb ar ôl ysgol – mynd yn syth at y radio.

'Dyma chi,' meddai Mam, gan daro dau blât o frechdanau ar y bwrdd o flaen Mai a minnau. Jam i mi, Marmite iddi hi. Cododd Mai ei brechdan, a stwffio chwarter i mewn i'w cheg ar unwaith.

'Diolch,' meddwn i, gan anwybyddu'r frechdan am y tro. Roedd y gwaith cartref yma'n anodd – roeddwn i'n casáu daearyddiaeth.

'... A dyma newyddion sydd newydd ein cyrraedd ni,' meddai llais y dyn ar y radio. 'Mae hi wedi dod i'r amlwg fod cwmni gwneud dillad Crease yn bwriadu cau ei ffatri yn Nhywyn, de Gwynedd. Bydd y gwaith creu dillad i siopau'r stryd fawr yn cael ei drosglwyddo dramor er mwyn arbed costau ... '

Roedd o fel petai rhywun wedi taro botwm i'n rhewi ni i gyd. Llonyddodd y beiro yn fy llaw. Rhoddodd Mai y gorau i gnoi'r llond ceg o fara. Rhewodd Mam yn ei hunfan.

Fi siaradodd gyntaf.

'Mam?'

Torrodd y swyn wedyn, ac edrychodd Mam i fyny arna i, ei llygaid tywyll yn fawr. Llamodd fy nghalon wrth ei gweld hi fel 'na, fel tasai hi wedi gweld ysbryd. Ond gorfododd ei hun i roi gwên fach wan.

'Peidiwch â phoeni! Camgymeriad ydy o, siŵr. Tasai ffatri Crease yn cau, byddwn i'n cael gwybod cyn y bobol ar y radio. Dwi wedi bod yn gweithio yno ers wyth mlynedd!' Rhoddodd chwerthiniad bach ac ysgydwodd ei phen, ond roedd dryswch yn ei llygaid hi. 'Ro'n i yn y ffatri dri chwarter awr yn ôl!'

Edrychodd i lawr arni hi ei hun, a'i dillad gwaith yn dal i fod amdani.

Llyncodd Mai ei brechdan. 'Ond fydden nhw ddim yn dweud celwydd ar y radio, siŵr!'

'Mae pawb yn gwneud camgymeriadau weithiau,' atebodd Mam. 'Hyd yn oed y bobol newyddion ar y radio.'

Ochneidiodd Mai fel tasai hi'n amheus iawn o hynny, a diflannu i'r llofft gyda gweddill ei brechdan yn ei llaw. Cydiodd Mam yn ei phlât gwag a'i olchi dro ar ôl tro yn y sinc, fel tasai ei meddwl hi'n bell, bell.

'Fyddwn ni'n iawn, fyddwn, Mam?' gofynnais yn dawel, wedi fy nychryn gan ei distawrwydd hi.

'Byddwn, tad! Wrth gwrs!' Ond throdd hi ddim i edrych arna i, dim ond dal ati i olchi'r un plât.

Y dyn ar y radio oedd yn iawn.

Bu protestio, a llythyrau blin i'r papur newydd, a chyfarfodydd tanllyd yn neuadd y dref. Doedd dim byd yn tycio. Caeodd ffatri Crease ymhen pythefnos, gan adael adeilad mawr gwag ac arwyddion blin ar y giatiau: DO NOT ENTER a TRESPASSERS WILL BE PROSECUTED. Roedd bron i saith deg o bobl wedi colli eu gwaith, a Mam yn un ohonyn nhw.

Mai

Y boreau oedd waethaf.

     O'r blaen, byddai Mam yn gadael yr un pryd â ni i fynd i'r gwaith. Roedd rhywbeth bob amser yn mynd o'i le – Sam wedi anghofio ei ddillad ymarfer corff, neu Mam wedi cofio ar y funud olaf nad oedd ffrwythau ar ôl i'w cael yn ystod amser chwarae. Ond ers i Mam golli ei gwaith, doedd dim brys arni i fynd i unrhyw le. Byddai hi'n gwneud brecwast i ni, er ein bod ni wedi arfer â gorfod

helpu ein hunain, ac yn gwneud yn siŵr fod popeth yn
hollol barod ar gyfer ein diwrnod yn yr ysgol. Ar ôl ychydig
wythnosau, rhoddodd hi'r gorau i newid o'i dillad nos yn
y bore, a byddai hi'n sefyll yn y drws yn gweiddi, 'Ta ta!
Byddwch yn blant da!' a'i phyjamas amdani.

'Wyt ti'n meddwl ei bod hi'n ocê?' gofynnodd Sam i
mi ar ôl ychydig wythnosau.

'Nac ydw,' atebais, ac agorodd ceg Sam mewn
syndod o glywed fy ateb gonest. 'Mae angen rhywbeth i'w
wneud ar Mam. Dydy o ddim yn dda iddi wneud dim byd.'

'Ond ... mae hi'n siŵr o gael swydd newydd cyn bo
hir ... '

Ysgydwais fy mhen. Roedd Sam yn medru bod mor
blentynnaidd weithiau. Dim ond ugain munud yn hŷn na fo
oeddwn i, ac eto roedd o'n gofyn cwestiynau i mi o hyd ac
yn disgwyl i mi wybod mwy na fo.

'Mae 'na saith deg o bobol yn y dre' 'ma'n chwilio
am swydd, Sam.'

Edrychodd Sam ar y llawr fel petai o'n gi oedd
newydd gael ei gicio.

'Bydd Mam yn ocê,' cysurais, gan deimlo braidd yn
euog fy mod i wedi bod mor negyddol. 'Ond mae angen
iddi lenwi ei horiau efo rhywbeth. Dydy hi erioed wedi cael
amser iddi hi ei hun, erioed. Does ganddi hi ddim syniad yn
y byd beth i'w wneud efo fo.'

Chwarae teg i Mam. Roedd hi'n gwneud ei gorau.
Yn ystod yr wythnosau cyntaf, wnaeth hi fawr ddim ond
gwylio teledu gwael drwy'r dydd. Ond ar ôl ychydig,
penderfynodd ymuno â'r llyfrgell, ac roedd hi'n gwibio
drwy lyfrau mewn dim o dro. Doeddwn i ddim wedi'i gweld
hi'n darllen ryw lawer cyn hynny, ond roedd hi fel petai
wedi penderfynu gweithio ei ffordd drwy bob un llyfr rŵan,

gan ymgolli'n llwyr yn y straeon.

'Do'n i ddim yn gwybod dy fod ti'n licio darllen,' meddwn wrthi un prynhawn ar ôl yr ysgol. Roeddwn i a Sam yn gorfod darllen pennod o ba bynnag lyfr roedden ni wedi ei fenthyg o'r ysgol bob dydd, ond rŵan roedd Mam yn eistedd i lawr rhwng y ddau ohonon ni ar y soffa, ac roedd hithau'n darllen hefyd.

'Ro'n i'n darllen o hyd pan o'n i'r un oed â chi,' atebodd hithau. 'Pob math o bethau. Ond wedyn, ar ôl gadael yr ysgol, doedd 'na ddim llawer o amser. Ac ... wel ... dwi'n meddwl i mi anghofio mor hyfryd ydy gallu ymgolli mewn llyfr.'

'A rŵan, rwyt ti wedi gallu ailafael!' gwenodd Sam fel giât. 'Da, 'te?'

'Y cyfan sydd ei angen arna i rŵan ydy rhywun sy'n fodlon talu cyflog i mi eistedd ar fy mhen-ôl drwy'r dydd yn darllen,' atebodd Mam gyda gwên drist.

'Baset ti'n medru gweithio yn y llyfrgell!' meddai Sam.

Ysgydwodd Mam ei phen. 'Mae'r bobol sy'n gweithio yn fan 'na wedi bod i'r coleg, cyw. Dydy swyddi fel 'na ddim i bobol fel fi.'

Ac eto, wrth ei gweld hi'n darllen cymaint o lyfrau, roeddwn i'n siŵr fod Mam yn un o'r bobol fwyaf clyfar roeddwn i'n ei 'nabod.

Yn hwyr un noson, codais i o'r gwely i nôl diod o ddŵr. Roeddwn i wedi bod yn troi a throsi yn fy ngwely, yn meddwl am ryw brawf oedd gen i'r diwrnod wedyn. Cysgai Sam yn drwm yn y bync uchaf.

Roedd Mam yn eistedd ar y soffa gyda blanced drosti, a'i phen mewn llyfr. 'Wyt ti'n iawn, yr aur?' gofynnodd wrth fy ngweld i.

'Isio dŵr ro'n i.' Eisteddais i lawr yn ei hymyl a sipian o'r gwydryn yn fy llaw, cyn ei roi o i lawr ar y bwrdd bach. 'Ydy dy lyfr di'n dda?'

'Gwych,' gwenodd Mam. 'Dwi'n licio'r awdur yma.'

'Stori am be' ydy hi?'

'Am ddynes yn byw ar ei phen ei hun, a rhyw ddyn del yn dŵad ati ac yn gofalu amdani hi,' atebodd Mam, ac wedyn daeth rhyw gwmwl dros ei hwyneb. 'Wn i ddim pam dwi mor hoff o'r stori.'

Meddyliais am Dad. Roedd yntau'n ddyn del – yn dal ac yn dywyll, efo llygaid gleision. Clywais i Nain Saron, ei fam o, yn dweud unwaith, 'Mi fedrwch chi faddau unrhyw beth i Aled ni efo'r llygaid gleision 'na'n sbïo arnoch chi.' Doeddwn i ddim yn gweld beth oedd gan liw llygaid i'w wneud efo unrhyw beth. Tybed fyddai Mam yn maddau iddo fo, dim ond am ei fod o mor ddel?

'Mae 'na bethau pwysicach na bod yn ddel,' meddwn i'n bendant. Chwarddodd Mam a rhoi ei llyfr i lawr.

'Rwyt ti'n iawn yn fan 'na. Dim ond stori ydy hi, yr aur.' Rhoddodd ei braich amdanaf i. 'Be' sydd ar dy feddwl di?'

Byddwn i wedi medru dweud wrthi. Dweud fy mod i'n poeni na fyddai hi byth yn dod o hyd i waith. Dweud bod Sam yn mynd yn fwy babïaidd bob dydd a'm bod i wedi cael llond bol ar ofalu amdano fo. Dweud fy mod i weithiau eisiau sgrechian ar Dad am ein gadael ni fel gwnaeth o, ond nad oedd o yma, nad oedd o byth yma i mi sgrechian arno fo.

'Dim ond y prawf yn yr ysgol 'fory,' atebais, gan godi. 'Nos da, Mam.'

'Nos da, yr aur.'

Sam

Un prynhawn, Mai oedd y gyntaf i gyrraedd adref ar ôl yr
ysgol. Roeddwn i wedi cerdded adref efo Oli, ac mae o
wastad yn tindroi ar ei ffordd adref. Roedd o eisiau dangos
ei feic newydd i mi, ac felly roedd rhaid i mi fwytho'r
metel a'r teiars a gwneud sŵn fel taswn i'n gwirioni ar y
beic. Doedd o ddim yn edrych yn wahanol i'w hen feic i
mi.

Pan gyrhaeddais i adref, roedd sŵn chwerthin yn
dod o lofft Mam. Wedi nôl afal o'r bowlen, es i weld beth

oedd yr holl dwrw.

Safai Mam o flaen drych y wardrob yn dal ffrog lwyd o'i blaen. Roedd Mai yn tyrchu yn ei droriau dillad, yn tynnu ambell ddilledyn allan ac yn craffu arno, cyn eu taflu nhw i gyd dros ei hysgwydd.

'Mae pob dim mor hen ffasiwn!' cwynodd Mai, cyn codi hen ffrog liw tywod oedd yn sgleiniog ac yn fyr. Fedrwn i ddim dychmygu Mam yn gwisgo'r fath beth – roedd hi'n byw yn ei jîns.

'Doedd hi ddim yn hen ffasiwn ers talwm,' chwarddodd Mam, a rholiodd Mai ei llygaid. Cododd, a dal y ffrog sgleiniog o flaen Mam.

'Mae hon yn ffrog fer ofnadwy,' ysgydwodd Mai ei phen. 'Pryd roeddet ti'n gwisgo pethau fel 'ma?'

Ochneidiodd Mam. 'Pan o'n i'n iau. Cyn i mi gael plant. Ddychmygais i ddim pan brynais i honna y byddai fy merch fy hun yn edrych i lawr ei thrwyn arni ryw ddiwrnod!'

'O, tyrd o 'na. Mae'r lliw'r un fath â chwd cath.' Methodd Mam beidio â chwerthin, a chwarddais innau hefyd.

'O, ocê. Dydy hi ddim y ffrog ddeliaf welais i erioed,' cyfaddefodd Mam. 'A dweud y gwir, wnes i erioed ei licio hi.'

'Pam rwyt ti wedi ei chadw hi, 'ta?' gofynnais, gan eistedd ar y gwely.

'Wel … ' difrifolodd Mam ac edrych ar y llawr. 'Hon oedd y ffrog ro'n i'n ei gwisgo pan gwrddais i â'ch tad.'

Sythodd gwên Mai yn syth, a thynnodd y ffrog oddi wrth Mam. 'Mi ddylet ti gael gwared arni.'

Ysgydwodd Mam ei phen, ac roedd pawb yn dawel am ychydig.

'Beth bynnag! Helpu rwyt ti i fod i'w wneud, Mai, ond rwyt ti'n gwneud joban wael ar y naw!' Gwenodd Mam eto. 'Dwi'n meddwl y bydd rhaid i mi wisgo'r siwt lwyd yma. Mae hi braidd yn dynn, ond does gen i ddim byd arall sy'n addas i'w wisgo mewn cyfweliad ... '

Sythais fy nghefn. 'Mae gen ti gyfweliad?'

'Fory, yn y Sosban,' atebodd Mai ar ei rhan a gwenu ar Mam yn llawn edmygedd.

'Mae hynny'n grêt!' ebychais, a'm ceg yn llawn afal. 'Os cei di'r swydd, fyddi di'n cael disgownt?' Roeddwn i wrth fy modd efo'r bwyd yn y Sosban.

'Peidiwch â chyffroi. Mae'n siŵr fod 'na lwythi'n mynd am yr un swydd. A dwi heb weini byrddau ers pan o'n i'n hogan ysgol.'

'Paid â meddwl fel 'na!' dwrdiodd Mai yn benderfynol. 'Mae'n rhaid bod gen ti gyfle, neu fydden nhw byth wedi rhoi cyfweliad i ti. Rŵan ... ' Tyrchodd yn y pentwr dillad cyn dod o hyd i drowsus du a blows wen. 'Dyma'r dillad perffaith i'r cyfweliad yna. Paid â gwisgo'r siwt i fynd i'r Sosban. Mae hi'n rhy grand.'

Trodd Mam ata i gyda chwestiwn yn ei llygaid.

'Dwi'n cytuno efo Mai,' meddwn i.

'Dyna ni, 'ta,' meddai Mam, gan ddal y dillad yn ei herbyn a syllu ar ei hadlewyrchiad yn y drych.

Bûm i'n hir cyn cysgu'r noson honno. Roedd llawer o fân bethau ar fy meddwl - roeddwn i wedi gwylio'r newyddion y noson honno, a byddwn yn colli cwsg bob tro ar ôl gwneud hynny. Ond yn fwy na dim, roeddwn i'n dychmygu Mam yn gweithio yn y Sosban. Caffi bach oedd o. Roedd o'n reit debyg i fod yn ystafell fyw hen bobol – roedd yno garpedi efo patrymau mawr lliwgar; papur wal streipiog;

lluniau o lynnoedd yn yr Alban ar y waliau. Ond roedd y
bwyd yn dda, ac yn rhad. Roedd Dad wedi bod â Mai a fi
yno ambell waith, cyn iddo fo adael.

Medrwn ddychmygu Mam yn cario platiau poeth
o'r gegin ac yn eu gosod o flaen y cwsmeriaid. Byddai
pawb wrth eu boddau efo hi – roedd hi mor barod ei
gwên bob tro. Ac ar ddiwedd shifft, byddai hi'n siŵr o
ddod a llond plât o sbarion i mi, pethau oedd heb gael
eu bwyta – selsig a *hash browns* a madarch wedi'u ffrio.
Byddai'r perchnogion yn rhoi codiad cyflog iddi cyn pen
ychydig wythnosau, ac yn dweud, 'Mae Karen Hughes wedi
newid ein busnes ni'n llwyr. Fyddai'r caffi yn ddim byd
hebddi'. Ac wedyn, ymhen ychydig flynyddoedd, byddwn
i'n cael gweithio yno ar ddyddiau Sadwrn, ac yn dysgu sut
i goginio, ac wedyn medrwn i fod yn gogydd byd-enwog, a
...

Cysgais y noson honno gyda blas selsig yn fy ngheg.

Y diwrnod wedyn, rhedodd Mai a minnau'r holl
ffordd yn ôl o'r ysgol. Roedd Mam yn cael paned wrth
fwrdd y gegin, roedd hi'n dal i wisgo ei throwsus du a'i
blows wen. Edrychodd i fyny arnon ni mewn syndod.

'Wel?' gofynnodd Mai.

'Wel, be'?' holodd Mam. Roedd hi wedi gwisgo
mymryn o golur ar gyfer ei chyfweliad, ac roedd hi'n
edrych fel fersiwn arall ohoni hi ei hun.

'Mi gest ti'r swydd, on'd do?' meddwn i'n hapus.
Roedd hi'n edrych mor fodlon ei byd, mor gyffyrddus. Ond
ysgwyd ei phen wnaeth Mam.

'Dydyn nhw ddim wedi ffonio eto.'

'Ond mi aeth popeth yn dda?'

Nodiodd Mam. 'Roedden nhw'n bobol glên. Doedd o
ddim mor ofnadwy ag ro'n i wedi ofni.'

Gwenodd Mai o glust i glust. 'Rwyt ti'n siŵr o'i chael hi! O, Mam, mi fydd swydd yn y Sosban gymaint yn well na gweithio yn yr hen ffatri 'na!'

'Peidiwch â chyffroi gormod, wir,' meddai Mam, a golwg bryderus braidd ar ei hwyneb. 'Dwi ddim wedi cael y swydd eto. Mae'n bosib iawn eu bod nhw'n chwilio am rywun iau, neu rywun efo mwy o brofiad ... a dwi'n siŵr bod 'na lawer yn trio amdani.'

Noson ryfedd oedd y noson honno. Aeth Mai allan i chwarae ar y stryd efo Jess, ond roedd hi'n dod i mewn bob pum munud i holi a oedd pobol y Sosban wedi ffonio eto. Roeddwn i'n chwarae gêm ar y cyfrifiadur, ond diffoddais y sŵn er mwyn gallu clywed petai'r ffôn yn canu. Roedd pawb yn dawel dros swper, heblaw pan ddywedodd Mam,

'Mae'n rhaid i chi beidio â disgwyl gormod. Mae'n bosib na ffonian nhw o gwbl.'

Ar ôl bwyta, eisteddodd Mai a minnau wrth fwrdd y gegin i wneud ein gwaith cartref. Roedd hi'n copïo fy atebion i, ond doedd gen i ddim o'r nerth i ddadlau fel y byddwn i fel arfer. Roedd Mam â'i thrwyn mewn nofel arall, ond medrwn weld nad oedd ei meddwl hi arni chwaith – roedd hi'n codi ei ffôn bob hyn a hyn i weld a oedd o'n gweithio'n iawn.

Roeddwn i newydd orffen fy ngwaith, ac yn pacio fy llyfrau yn fy mag pan ganodd y ffôn. Edrychodd pawb ar ei gilydd.

'Nhw sydd 'na,' meddai Mam, wrth adnabod y rhif ar sgrin y ffôn.

'Wel, ateb o 'ta!' meddai Mai. Roeddwn i'n teimlo'n swp sâl. Pwysodd Mam y botwm gwyrdd i ateb yr alwad.

Gwyliais ei hwyneb wrth iddi wrando ar y dyn, a cheisiais ddyfalu beth roedd o'n ei ddweud. Nodiodd Mam, a dweud, 'Do, a minnau,' ac wedyn, 'Olreit, iawn,' cyn gorffen drwy ddweud, 'Diolch i chi am ffonio'.

Bu tawelwch. Edrychodd Mam i lawr ar ei glin. 'Ches i mo'r swydd.'

Symudais draw at y soffa a rhoi fy mraich amdani. Roeddwn i wedi mynd yn hen braidd i hynny, ond roeddwn i'n teimlo bod hwn yn achlysur arbennig. 'Mae'n ddrwg gen i, Mam.'

'Dydyn nhw ddim yn gall,' meddai Mai. 'Baset ti wedi bod yn grêt yn y swydd 'na. Basai eu busnes nhw wedi dyblu.'

Gwenodd Mam yn drist. 'Mae'n ocê, bois. Mi ddaw 'na gyfle arall.'

'Cyfle gwell!' meddwn i.

'Llawer gwell,' cytunodd Mai. 'A hen gaffi gwael ydy'r Sosban beth bynnag. Mae'r sôs coch fel finegr a'r selsig fel blawd llif.'

'A dydyn nhw ddim yn cadw'r pop yn yr oergell, felly mae o'n gynnes i gyd,' ychwanegais, er fy mod i wedi bod wrth fy modd efo'r Sosban tan bum munud yn ôl.

'Rydach chi'n blant da,' meddai Mam, ac roedd hi'n edrych fel petai hi bron â chrio. Ond un dda ydy Mai am achub sefyllfa, ac meddai hi,

'Baset ti wedi bod yn drewi o saim yn dod yn ôl o fan 'na bob nos, Mam. A basai dy wallt a dy groen wedi bod yn seimllyd i gyd, hefyd.'

Chwarddodd Mam.

'A baset ti wedi mynd yn dew efo'r holl fwyd dros ben,' meddwn i. 'A baset ti wedi gorfod prynu llond cwpwrdd o ddillad newydd.'

Gwenodd Mam, a doedd hi ddim yn edrych fel petai hi'n mynd i grio wedyn.

Rhent
Treth Cyngor
Nwy (gwres canolog a dŵr poeth)
Bwyd
Trydan
Dŵr
Ffôn
Trwydded Deledu
Cysylltiad â'r we
Tripiau ysgol
Pres poced

Mai

Dwi'n meddwl mai rhwng y cyfweliad yn y siop sglodion a'r un yn y cartref henoed y sylweddolon ni mor ddifrifol oedd ein sefyllfa ni.

Roedd Sam, Mam a minnau wedi trio dysgu ein gwers ar ôl y busnes efo'r Sosban. Dwi'n meddwl bod balchder Mam wedi ei frifo wedi iddi beidio â chael y swydd, ac aeth i'w chragen am ychydig. Ond byddai hi'n dal i dreulio'r nosweithiau ar y gliniadur yn chwilio am waith, yn prynu'r papur bob dydd Iau pan oedd yr hysbysebion swyddi ynddo, ac ymhen ychydig wythnosau roedd ganddi gyfweliad arall. Chafodd hi mo'r swydd honno, chwaith, na'r un wedyn. Roedden ni'n tri yn gwneud ein gorau i beidio â gobeithio, ond byddai llygedyn bach o obaith bob tro y canai'r ffôn ar ôl iddi gael cyfweliad, a'r un wyneb siomedig ar ôl gorffen yr alwad, a Mam yn dweud, 'Y tro nesa, bois,' gan drio peidio ag edrych yn drist.

Un bore Sadwrn, a'r siom o beidio â chael y swydd yn y siop sglodion yn dal i frifo, dois o hyd i Mam yn eistedd wrth fwrdd y gegin. Roedd amlenni a phapurau ym mhob man, a Mam ar ei ffôn yn dweud, 'Not this month, but I've got another interview next week and maybe ... '

Estynnais am dafell o dost, a dod o hyd i gornel wag o'r bwrdd cyn eistedd. Gwrandawodd Mam ar bwy bynnag oedd ar ochr arall y lein am ychydig, cyn dweud, 'I just need one more month. I'll have found something by then.'

Doedd hi ddim yn swnio fel galwad ffôn lwyddiannus iawn. 'I know I couldn't pay last month either, but I lost my job unexpectedly six weeks ago ... I'll be on my feet again soon,' meddai Mam, a'i thalcen yn grychau i gyd. 'OK, OK, I understand. Yes, I'll have to cancel it.' Ar ôl ychydig, rhoddodd y ffôn i lawr, ac eistedd yn drwm ar gadair.

'Ydy pob dim yn iawn?' gofynnais yn ysgafn, er ei bod hi'n amlwg iawn nad oedden nhw'n iawn o gwbl.

'Fedra i ddim fforddio talu am y sianeli ychwanegol ar y teledu.'

'Wel, rwtsh sydd ar eu hanner nhw beth bynnag.'

'Ond mae Sam yn licio'r rhaglenni natur, on'd ydy o?'

'O, Mam,' meddwn. 'Dydy o ddim yn beth mawr.'

Eisteddodd Mam mewn tawelwch am ychydig. 'Ble mae dy frawd?'

'Yn dal i fod yn ei wely,' atebais. 'Roedd o'n chwyrnu fel hwch gynnau.'

'Dos i'w ddeffro fo, plîs,' meddai Mam. 'Dwi isio siarad efo chi'ch dau.'

Mae'n cymryd cryn dipyn i 'nghynhyrfu i – dwi ddim yn berson sy'n poeni o hyd, fel Sam. Ond rhaid i mi gyfaddef bod clywed Mam yn dweud hynny wedi rhoi ysgytwad i mi, braidd. Roedd hi'n swnio mor ddiflas.

Erbyn i mi ddeffro Sam a'i gael i ddod i'r gegin, roedd Mam wedi tacluso'r papurau o fwrdd y gegin ac wedi gwneud paned. Eisteddodd Sam yn ei hymyl, yn gwisgo dim byd ond trôns a chrys t. Roedd ei lygaid yn pefrio, fel petai o'n dal i gysgu.

'Be' sy'n digwydd?' gofynnodd gan ddylyfu gên.

'Dwi isio siarad efo chi'ch dau,' atebodd Mam. Deffrodd Sam drwyddo wedyn, wedi ei ddychryn gan ddifrifoldeb ei llais.

'Wyt ti'n sâl?' gofynnodd yn syth. Druan bach – roedd hi'n hawdd dychmygu beth roedd o'n poeni amdano yn hwyr y nos.

Ysgydwodd Mam ei phen. 'Dwi'n iach fel cneuen.'

'Wyt ti'n disgwyl babi?'

Chwarddodd Mam yn uchel, ei llygaid yn fawr mewn syndod. 'Disgwyl babi?! Be' yn y byd wnaeth i ti feddwl … ? Sam! Mae angen dyn i wneud babi!'

'Dim ond gofyn wnes i,' mwmialodd fy mrawd, a gwrido rywfaint wedi iddo ofyn cwestiwn mor wirion.

'Be' sy'n bod 'ta, Mam?' gofynnais. Sythodd gwên Mam a chymerodd lymaid o'i phaned.

'Wel bois ... pres ydy'r broblem. Neu ddiffyg pres, mi ddylwn i ddweud.'

Mae'n rhaid mai biliau oedd yr holl bapurau oedd yn yr amlenni a welais i'n gynharach.

'Ro'n i'n siŵr y byddai gen i swydd newydd erbyn hyn, ond mae'n rhaid i mi wynebu efallai na fydda' i'n dod o hyd i ddim am dipyn. Ac yn y cyfamser, mae hi'n dynn iawn arnon ni.'

'Mae Mam yn cael gwared ar y sianeli lloeren,' meddwn i wrth Sam.

'O! Dim ots am hynny,' meddai Sam yn syth. Roedd difrifoldeb Mam wedi ei ddychryn. 'Dim ots o gwbl.'

'Bydd 'na fwy o newidiadau na hynny,' meddai Mam gydag ochenaid. 'Bydd rhaid i ni wario llai ar bopeth – trydan, nwy, bwyd. Fydd o ddim yn hawdd, bois. Ond does gen i ddim dewis.'

'Dwyt ti ddim yn cael mwy o bres gan y llywodraeth, gan dy fod ti wedi colli dy waith?' gofynnodd Sam.

'Ydw. Ond dydy o ddim yn llawer, ac erbyn i mi dalu'r rhent, a'r treth cyngor, y dŵr, y bwyd, a phob dim arall ... wel. Rydan ni'n gwario mwy nag sy'n dod i mewn.'

'Wel, sut rydan ni'n arbed pres, 'ta?' gofynnais. Roeddwn i'n benderfynol o ddatrys y broblem yma. Estynnodd Mam am ddarn o bapur a phensil. 'Dwi am wneud rhestr o'r pethau rydan ni'n gwario pres arnyn nhw.'

Rhent
Treth Cyngor
Nwy (gwres canolog a dŵr poeth)
Bwyd
Trydan
Dŵr
Ffôn
Trwydded Deledu
Cysylltiad â'r we
Tripiau ysgol
Pres poced

'Dwi wedi cael gwared ar y sianeli ychwanegol ar y teledu yn barod,' meddai Mam. 'Ond ar be' arall y medrwn ni arbed ein pres?'

Roedd y rhestr yn edrych braidd yn anobeithiol i mi. Doedd dim byd yn rhywbeth yr oedd hi'n bosib cael gwared arno.

'Mi fedrwn ni dyfu ein llysiau ein hunain,' cynigiodd Sam.

Nodiodd Mam, cyn dweud, 'Syniad da, yr aur, ond fedrwn ni ddim gwneud hynny tan y gwanwyn nesaf. Ond mae 'na ffyrdd eraill o arbed pres ar fwyd.'

'Dim têc-awê,' meddwn i'n ddigalon, gan gofio mor flasus oedd *chicken tikka massala* a reis.

Nodiodd Mam. 'A dim llawer o gig, chwaith. Mae o'n ddrud ofnadwy. Dim prydau parod. Llawer o gawl. Uwd i frecwast.'

'O, plîs Mam. Unrhyw beth ond uwd. Dwi'n casáu uwd.'

Edrychodd Mam arna i gyda rhybudd yn ei llygaid.

'Dydy uwd ddim yn un o fy ffefrynnau i, chwaith, ond mae'n rhaid i ni i gyd ddod i arfer efo byw fel hyn am ychydig.'

Uwd! Ych-a-fi. Roeddwn i wedi darllen llyfr flynyddoedd yn ôl lle roedd hogan fach yn dod o hyd i lwyth o gynrhon yn ei huwd, a doeddwn i ddim wedi medru ei fwynhau o ers hynny. Bob tro y gwelwn i lond powlen o uwd, byddai fy llygaid yn chwilio am y creaduriaid bach llwyd yn gwingo yn y ceirch.

'Bydd eich bocsys bwyd chi'n gorfod bod yn rhatach, hefyd.'

Dyna pryd dechreuais i deimlo braidd yn ddig. Felly, roeddwn i'n mynd i gael brecwast afiach, a chinio afiach i'w ddilyn? Siawns y byddai digon o bres i wneud yn siŵr bod ein boliau ni'n llawn?

'Be' am y pethau eraill ar y rhestr?' holodd Sam. Dwi'n meddwl mai trio newid y pwnc roedd o, rhag ofn i Mam benderfynu mai bara sych a dŵr y bydden ni'n eu cael i swper.

'Fedra i wneud dim i newid y rhent na'r treth cyngor, ond mae 'na ffyrdd o arbed ar y nwy a'r trydan. Pan ddaw'r gaeaf, mi wnawn ni wisgo siwmperi yn lle cynnau'r gwres. Mi gawn ni gawod bob yn ail ddydd yn lle bob dydd. Ac mae'n hawdd cwtogi ar y trydan – mi rof i'r dillad ar y lein yn hytrach nag yn y sychwr, a fyddaf i ddim yn eu golchi nhw mor aml. Fyddwn ni ddim yn rhoi'r llestri yn y peiriant golchi llestri, ond yn eu golchi nhw yn y sinc. Dim gadael y teledu a'r radio ymlaen pan na fyddwn ni'n gwylio neu'n gwrando – dwi'n un wael am wneud hynny fy hun.'

'Unrhyw beth arall?' gofynnais yn goeglyd. Roedd y cyfan yn swnio fel llawer o waith caled i mi. Medrwn ddychmygu y byddwn i'n llwglyd wrth olchi'r llestri, gyda fy ngwallt a'm dillad yn fudr.

'Oes.' Hoeliodd Mam ei llygaid arna i, wedi synhwyro fy niffyg brwdfrydedd. 'Os ydach chi'n gadael ystafell, mae'n rhaid i chi ddiffodd y golau. Mae golau'n cymryd llawer o drydan.'

Dychmygais fy hun, yn llwglyd wrth olchi'r llestri, fy ngwallt a'm dillad yn fudr *a minnau yn y tywyllwch.*

Sam

Roeddwn i'n gwybod bod Mai yn flin. Dydy hi ddim yn un dda iawn am guddio ei theimladau, ac roedd hi wedi bod yn stompio o gwmpas y tŷ ac yn cau'r drysau'n glep. Mae hi'n gallu pwdu am ddyddiau – wythnosau, weithiau. Ond gwylltio bydd hi yn y diwedd bob tro, felly roeddwn i'n gwybod bod storm ar y gorwel.

Roeddwn i wedi gweld ei hwyneb hi pan agorodd hi ei bocs bwyd yn yr ysgol ychydig ddyddiau'n gynharach. Roedd o fel petai rhywun wedi dwyn y bwyd ac wedi ei lenwi â mwd. Ocê, doedd y cinio ddim cystal ag y buodd o, ond roedd o'n ddigon i'n llenwi ni.

Dyma'r pethau oedd ein bocsys bwyd ni o'r blaen:

Brechdan ham
Darn bach o gaws mewn cwyr coch
Bag o gracers crwn blas halen a finegr
Grawnwin
Iogwrt siocled

Dyna'r math o focs bwyd oedd gan y rhan fwyaf o blant ein dosbarth ni, heblaw am ambell un oedd yn ddigon lwcus i gael creision *a* siocled *a* fferins, a heblaw am Nel Davies a oedd ag alergedd i bron bob dim ac a oedd yn cael salad efo sudd lemwn bob un dydd.

Ar ôl i Mam wneud ei newidiadau, dyma'r pethau roedden ni'n eu cael:

Brechdan gaws
Moron wedi'u torri'n ddarnau
Cnau neu gyrens (roedd Mam yn prynu bag mawr ac yn rhannu'r cynnwys i focsys bach plastig i ni)
Fflapjac oedd wedi'i wneud gan Mam

Doedd o ddim yn *edrych* yn flasus, ond roeddwn i'n ddigon hapus.

Ond doedd Mai ddim. 'Mae gen i gywilydd agor fy mocs bwyd o flaen fy ffrindiau!' meddai hi ar y ffordd adref o'r ysgol un diwrnod. 'Dydy o ddim yn deg!'

'Paid â chwyno wrth Mam. Nid ei bai hi ydy o.'

'Dwi'n gwybod hynny, siŵr. Ond nid ein bai ni ydy o chwaith. Pam mae'n rhaid i ffyliaid yr un fath â Rhys gael bocs bwyd efo dwy frechdan, pecyn o greision, cacen a phop, a ninnau'n cael hyn? A dydy *o* ddim yn bwyta hanner ei fwyd!'

Roedd hynny'n wir. Roeddwn i wedi gweld Rhys yn bwyta hanner ei siocled cyn ei daflu i'r bin ddoe. Bu bron i mi fynd i bysgota ynghanol y crystiau a'r budreddi amdano.

Beth bynnag, roedd Mai wedi bod yn flin am hyn ers dyddiau. Ond penderfynodd hi ffrwydro am y peth ar yr adeg waethaf – pan oedd Oli acw'n chwarae. Roedden ni yn y llofft yn chwarae gêm rasio ceir pan ddaeth gwaedd o'r gegin. Roeddwn i'n gwybod bod Mai yno, yn gwneud ei gwaith cartref, a bod Mam yn paratoi swper.

'Ydyn nhw'n iawn?' gofynnodd Oli, gan edrych yn betrus braidd.

'Mai sy'n cwyno.'

'Am be'?'

'Rydan ni'n gorfod arbed pres ers i Mam golli ei gwaith. Dydy Mai ddim yn licio ein bod ni'n gorfod cael bocsys bwyd sy'n costio llai.'

Chwaraeodd Oli a minnau heb ddweud gair am ychydig, yn gwrando ar Mai yn gweiddi. Doeddwn i ddim wedi dweud dim wrtho fo ein bod ni'n dlawd rŵan, a doeddwn i ddim yn siŵr sut byddai o'n ymateb. Postmon oedd ei dad, ac roedd ei fam yn gweithio yn y Co-op. Doedden nhw ddim yn gyfoethog, fel rhieni Rhys, ond roedd ganddyn nhw ddigon.

'Bydd dy fam yn siŵr o ddod o hyd i swydd arall, 'sti.'

Roedd o'n trio gwneud i mi deimlo'n well, ond am ryw reswm, roedd caredigrwydd Oli yn gwneud i mi deimlo'n drist.

'Mae hi'n cael llwythi o gyfweliadau, 'sti. Ond dydy

hi byth yn cael y swydd yn y diwedd.'

'Ond mi wnaiff hi, rywbryd. Mae dy fam yn grêt.'

Roeddwn i'n falch ei fod o wedi dweud hynny –
roeddwn i wedi dechrau poeni na fyddai Mam byth yn cael
gwaith eto.

'Dwyt ti ddim yn dallt!' Daeth llais Mai yn gweiddi
drwy'r wal, a chodais ar fy nhraed.

'Fasai ots gen ti aros yn fan 'ma am ychydig? Gwell
i mi fynd i drio rhoi trefn arni hi.' Nodiodd Oli, ac roedd
o'n edrych fel petai o'n teimlo trueni drosto i.

'Wnei di fod yn dawel, plîs?' meddwn i'n flin ar ôl
cyrraedd y gegin. 'Mae Oli efo fi, ac rwyt ti'n codi cywilydd
arna i!'

Roedd Mai yn sefyll y tu ôl i'w chadair wrth y
bwrdd bwyd, a Mam yn sefyll wrth y popty, yn edrych yn
flin. A dweud y gwir, roedden nhw'n edrych yn debyg iawn
i'w gilydd.

'Waeth i Oli gael clywed ein bod ni'n dlawd rŵan!
Mae pawb arall yn gwybod! Does dim ond rhaid iddyn nhw
edrych ar ein cinio ni i weld hynny!'

'Dwi'n gwneud fy ngorau ... ' dechreuodd Mam.

'Rho'r gorau iddi, Mai ... ' meddwn i wrth weld
Mam yn gwylltio.

Trodd Mai ei llygaid ata i. 'Ydy Mam wedi dweud
wrthot ti am y we?'

Edrychais ar Mam. 'Naddo. Be'?'

'Rydan ni'n methu fforddio'r cysylltiad â'r we
rŵan! Sut rydan ni i fod i wneud ein gwaith cartref?'

Caeodd Mam ei llygaid, fel petai hi'n trio peidio â
cholli ei thymer yn llwyr. 'Mae'r we'n costio deunaw punt
y mis. Dydy'r pres ddim gen i.'

Roeddwn i'n dawel am ychydig. Os rhywbeth,

roeddwn i'n defnyddio'r we'n amlach na Mai. Roeddwn i'n darllen am fyd natur ac yn darllen comics ar-lein ac yn mynd ar wefannau newyddion. Roedd Mai'n colli amynedd yn hawdd pan oedd hi'n methu dod o hyd i'r wybodaeth roedd hi'n chwilio amdani. Fyddai bod heb y we ddim yn gwneud llawer o wahaniaeth iddi hi.

'Wyt ti'n siŵr, Mam?' gofynnais mewn llais bach. Doeddwn i ddim yn licio tynnu'n groes iddi, ond ew! Byddai hiraeth arna i am wylio'r fideos natur ar-lein, y rhai am forfilod a dolffiniaid yn arbennig.

Ysgydwodd Mam ei phen. 'Does 'na ddim dewis.'

'Ond meddwl rydw i am yr holl wefannau sy'n hysbysebu swyddi. Rwyt ti'n mynd ar y rheini bob nos, bron ... '

'Bydd rhaid i mi fynd i'r llyfrgell bob dydd. Mae pobol yn cael defnyddio'r we am ddim yn fan 'no.' Roedd hi'n edrych yn flinedig iawn.

'Wel, mae hynny'n grêt,' meddai Mai, yn goeglyd. 'Bydd rhaid i mi gerdded yr holl ffordd i lawr i'r llyfrgell i wneud fy ngwaith cartref. Ac mae'n cau am bump!' A stompiodd i ffwrdd i'r llofft.

Eisteddodd Mam yn drwm yn ei chadair, cyn chwythu'r stêm o'i choffi. Wyddwn i ddim beth i'w ddweud, ond roedd rhaid i mi ddweud rhywbeth.

'Bydd hi'n iawn, Mam. Dydy hi ddim yn cymryd pum munud i gerdded i lawr i'r llyfrgell.

Gwenodd Mam yn wan. 'Mi wn i, yr aur.'

Fwynheais i mo gweddill y dydd Sadwrn yna. Roeddwn i'n anesmwyth i gyd, er i Mai fynd allan at Jess ac er i Mam eistedd ar y soffa'n ddigon hapus i ddarllen llyfr. Efallai y dylwn i fod wedi derbyn cynnig Oli a mynd i'w tŷ nhw am de, ond roeddwn i'n teimlo ... yn teimlo'n *wag*.

Estynnais am lyfr nodiadau bach oedd gen i ers tro, a phenderfynais weithio allan faint o bres roedden ni'n ei arbed ar ambell i beth. Doeddwn i ddim yn sicr am union bris pob dim, ond roedd Mam yn cadw hen dderbynebau mewn swp yng ngwaelod un o ddroriau'r gegin, diolch byth.

Y pecynnau bwyd, penderfynais. Byddwn i'n trio darganfod beth oedd y gwahaniaeth rhwng pris ein pecynnau bwyd ni o'r blaen a'n pecynnau ni rŵan. Doedd o ddim yn hawdd – roedd yn rhaid i mi ddyfalu pa mor hir y byddai pecyn o gaws yn para a phethau felly. Ond llwyddais i i'w wneud o yn y diwedd.

Brechdan ham	44c	
Darn bach o gaws mewn cwyr coch	38c	
Bag o gracers crwn blas halen a finegr	26c	
Grawnwin	48c	
Iogwrt siocled	80c	
	236c	= £2.36

Brechdan gaws	21c
Moron wedi'u torri'n ddarnau	8c
Cnau neu gyrens	18c
Fflapjac oedd wedi'i wneud gan Mam	26c
	= 73c

Bobol bach! Roedd hynny'n arbed £1.63 y dydd! £3.26 y dydd rhwng Mai a minnau. Ac roedd pob wythnos ysgol yn ddeg pecyn bwyd, ac yn arbed £16.30!

'Hei, Mam!' Rhuthrais i'r gegin, lle roedd hi'n llwytho'r peiriant golchi. Chwifiais y llyfr nodiadau o dan ei thrwyn. '£16.30, Mam!'

Cododd ar ei thraed ac edrych arna i fel petawn i ddim yn hanner call. 'Be'?'

'Dwi wedi gwneud y sỳms, ac rydan ni'n arbed £16.30 yr wythnos efo'r pecynnau bwyd newydd!'

Eisteddodd Mam a chymryd y llyfr o'm dwylo. Edrychodd yn gegrwth ar y symiau. 'Ti wnaeth hyn?'

Nodiais. 'Ie. Dydy o ddim yn hollol berffaith. Efallai ei fod o ychydig geiniogau allan ohoni – roedd hi'n anodd gweithio allan faint mae dy fflapjacs di'n ei gostio. Ond mae o'n agos ati! Mae hynny'n llwyth o bres, on'd ydy?'

Ysgydwodd Mam ei phen mewn syndod. 'Mae'n anhygoel dy fod ti wedi gwneud hyn, Sam.'

'Meddwl ro'n i, efallai bydden ni'n gallu cadw'r we … ? Achos rydan ni'n arbed cymaint ar y bwyd.'

Syllodd Mam ar y papur, ond doedd hi ddim fel petai hi'n ei weld o gwbl. Llyncodd sawl tro cyn siarad, ac roedd ei llais hi'n gryg i gyd.

'Mae'n rhaid i ni arbed pob un geiniog y medrwn ni, yr aur. Newid y pecynnau bwyd *a* chael gwared ar y we. Mae'n ddrwg gen i.'

'Dim ots,' atebais yn frysiog. 'Mae o dal yn braf ei weld o i lawr ar bapur fel 'na, on'd ydy? Gweld faint o bres rydan ni'n ei arbed!' A brysiais o'r gegin, gan smalio nad oeddwn i'n sylweddoli ei bod hi'n crio.

Mai

Un bore Sul, penderfynodd Mam ein bod ni'n mynd i gael
diwrnod allan efo'n gilydd.

Dwi'n meddwl ei bod hi wedi cael llond bol ar fod
yn y tŷ o hyd yn gwneud fawr ddim. Roedden ni wedi hen
anghofio am ein ffrae ni am y we, a doedd pethau ddim
mor ofnadwy ag roeddwn i wedi'i ddisgwyl. A dweud y
gwir, roeddwn i'n teimlo braidd yn wael am wneud ffws a
ffraeo ynghylch y peth. Doedd dim bai ar neb.

'Codwch!' meddai Mam, gan luchio'r llenni'n

agored. 'Rydan ni'n mynd allan.'

Griddfanais, a thynnu fy ngobennydd dros fy wyneb. 'Naaaaaaa.'

'Brecwast mewn pum munud,' meddai Mam yn bendant. 'Dwi'n disgwyl eich bod chi wedi gwisgo a brwsio eich dannedd.'

'Hanner awr arall yn y gwely, Mam,' crefodd Sam o'r bync gwaelod. Roedd o wedi bod yn darllen tan berfeddion.

'Na! Mae hi'n ddiwrnod braf. Dewch!'

Wrth gwrs, chododd Sam na minnau ddim yn syth, ond roedd Mam yn benderfynol. Tynnodd y cwiltiau oddi ar ein gwlâu a'u gadael nhw yng nghornel y llofft. Doedd y gwely ddim yn gysurlon iawn heb y cwilt, felly codais dan rwgnach.

Wedi newid ac ymolchi, es i'r gegin a disgyn yn swp i gadair. Roedd Mam yn brysur yn gwneud pentwr anferth o frechdanau.

'Brechdanau i frecwast?' gofynnais yn amheus.

'I ginio,' atebodd, gan lapio'r cyfan mewn plastig a'i roi mewn bag cefn. Lluchiodd ambell fag o greision i mewn, hefyd, a thair potel o ddŵr.

'I ble rydan ni'n mynd?' holais.

'Edrych drwy'r ffenest 'na, Mai,' meddai Mam. 'Be' weli di?'

'Y byngalos gyferbyn â ni,' atebais yn ddiflas. 'Ceir wedi'u parcio. Chwyn yn yr ardd.'

'Awyr las!' Roedd Mam yn llawn brwdfrydedd, a fedrwn i ddim peidio â gwenu. Doeddwn i ddim wedi ei gweld hi fel hyn ers tro.

'Dwi isio mynd yn ôl i 'ngwely,' meddai Sam wrth eistedd yn y gadair yn fy ymyl. Roedd o'n gwisgo ei siwmper tu chwith allan. 'Mae *pawb* yn cael gorwedd yn eu gwlâu yn hwyr ar fore Sul ... '

'Druan ohonyn nhw, yn colli'r fath ddiwrnod braf,' meddai Mam, a gosod dwy bowlen o uwd o'n blaenau ni. 'Dewch yn eich blaen, bwytewch y cyfan. Bydd angen yr egni arnoch chi.'

Erbyn hanner awr wedi naw, roedden ni'n gadael ein tŷ ni ac roedd Mam yn cario'r bag cefn. Roedd pob man yn dawel fel y bedd, a phawb arall yn dal i fod yn eu gwlâu. Cerddodd y tri ohonon ni allan o Dywyn ar hyd lôn fach i gyfeiriad Bryncrug, ac ar ôl tua hanner awr, dechreuodd cloch yr eglwys ganu. Trodd y tri ohonon ni ac edrych yn ôl ar y dref.

'Dyna olygfa ddel,' meddai Sam.

Ac oedd, roedd hi'n ddel. Yn fendigedig, a dweud y gwir. Roeddwn i wedi anghofio ein bod ni'n byw mewn lle mor hyfryd – y bryniau ar y naill ochr a'r môr ar y llall.

Am ddiwrnod hyfryd oedd hwnnw. Dydw i ddim yn cofio'r tro diwethaf i ni chwerthin cymaint efo'n gilydd – yn bendant, roedd o ymhell cyn i Mam golli ei swydd. Buon ni'n cerdded am filltiroedd – i Rydyronnen ac wedyn dros y bryniau i Gwm Maethlon a Chwm Ffernol.

'Dydach chi erioed wedi cerdded mor bell â hyn o'r blaen,' meddai Mam wrth i ni gerdded ar grib un o'r bryniau.

'Hyd yn oed pan aethon ni i fyny'r Wyddfa?' gofynnodd Sam. Roedd ei fochau'n goch ar ôl y dringo, ac roedd o'n edrych yn iach.

'Dim ond i fyny y cerddon ni. Mi gawsoch chi a fi drên i lawr. Dydach chi ddim yn cofio?'

'Dwi'n cofio. Mi gerddodd Dad i lawr, ac mi est ti a Sam a minnau i gael hufen iâ mewn caffi bach yn

Llanberis.' Gwenais wrth gofio. Dim ond manylion bach oedd yn fy atgof – hufen iâ pinc; staen mwd ar waelodion jîns Mam; Dad yn gwenu fel giât wrth ein gweld ni ar ôl cyrraedd troed yr Wyddfa.

Uwchben pentref Cwrt, yn bell i fyny, roedd cylch o hen gerrig Celtaidd, ac eisteddodd Mam a Sam a minnau i fwyta ein cinio. Doedd hi ddim yn wledd o bell ffordd, ond dwi ddim yn meddwl i mi gael cymaint o flas ar fwyd erioed.

'Diolch, Mam,' meddwn, a'm ceg yn llawn brechdan menyn cnau.

Edrychodd Mam i fyny arna i, i fyw fy llygaid. Roedd hi'n pwyso ar garreg, ac roedd hi'n edrych yn dlws. Doeddwn i erioed wedi meddwl bod fy Mam yn ddynes ddel – roedd hi'n fach ac yn grwn, a doedd hi bron byth yn gwisgo'n smart nac yn rhoi colur ar ei hwyneb. Roedd hi wastad wedi edrych mor blaen yn ymyl Dad. Ond yno, ar y bryniau uchel yn eistedd mewn cylch o gerrig, roedd hi'n anhygoel o brydferth.

'Croeso,' meddai Mam gyda gwên, a dyna pryd roeddwn i'n gwybod yn iawn fy mod i wedi cael maddeuant am greu ffrae mor wirion ychydig wythnosau ynghynt.

Roedd hi'n bedwar o'r gloch arnon ni'n cyrraedd adref. 'Chwe awr a hanner o gerdded,' meddwn i, wrth dynnu fy nhrênyrs a'u taflu nhw'n flêr i gornel y cyntedd. 'Mae fy nghoesau i fel jeli.'

'A fy rhai innau,' meddai Mam, gan roi'r tegell i ferwi. 'Mae angen paned arna i.'

Roedd Sam yn methu dweud gair. Eisteddodd ar y soffa, wedi ymlâdd yn llwyr. Rhoddodd Mam y radio ymlaen, a heb ofyn i Sam a minnau, gwnaeth siocled poeth yr un i ni. Roedd o'n anhygoel.

'Byddwn i'n medru cysgu rŵan hyn,' meddai Sam, gan gicio ei drênyrs i ffwrdd a gorwedd ar y soffa.

'Fwynhaoch chi?' gofynnodd Mam. Roedd hi'n eistedd ar y llawr yn rhwbio'i thraed.

'Roedd o'n grêt,' meddai Sam.

'Oedd,' cytunais. Mae'n siŵr mai eistedd yn y tŷ y byddwn i wedi'i wneud petai Mam heb fy ngorfodi i fynd allan. Ac er fy mod i wedi blino, roedd o'n flinder braf, fel petawn i'n haeddu gorffwys yn fy ngwely.

'Mi rof i bitsa yn y ffwrn cyn hir. Be' am i ni'n tri wylio DVD efo'n gilydd? Mi ddiffoddwn ni'r golau a chau'r llenni.'

'Grêt!' atebodd Sam, oedd wrth ei fodd yn gwneud pethau cartrefol fel 'na. Ond petruso wnes i. Roeddwn i wedi bwriadu mynd draw i dŷ Jess am sgwrs. Ond pan welais i wynebau Mam a Sam yn syllu arna i'n obeithiol, dim ond un ateb y medrwn i ei roi.

'Ia, iawn. Ond ga' i ddewis y DVD?'

Sam

Roedd o bron cystal â'r hen ddyddiau.

I fyny yn y bryniau, trois i yn ôl ac edrych ar yr olygfa. Roedd y môr yn sgleinio, a'r bryniau i gyfeiriad Cader Idris yn greigiog ac yn dywyll. Roedd y tir gwastad rhwng Tywyn ac Aberdyfi yn edrych yn anhygoel o wyrdd, fel paent plant bach. Ac wedyn, Tywyn, fy nhref i, a'r eglwys yn y canol gyda'r ddraig goch yn chwifio o'r tŵr.

'Mi fedra' i weld yr ysgol,' meddwn i, gan bwyntio.

'A'r ganolfan hamdden,' ychwanegodd Mai. 'A'r cae

chwaraeon, a thŷ Jess.'

'A'r hen ffatri,' meddai Mam yn dawel, ond doedd hi ddim yn swnio'n drist. Roedd 'na olwg rhyfedd ar y ffatri hefyd – adeilad mawr sgwâr ar gyrion y dref, a dim loris na cheir yn y maes parcio.

Ond doedd dim posib bod yn drist a ninnau'n cerdded mewn lle mor hyfryd. Doedd dim arlliw o'r hen ffrae ar ôl rhwng Mam a Mai, ac am ychydig, bu'r ddwy'n cerdded fraich ym mraich ar hyd y llwybr. Roedden nhw mor wahanol i'w gilydd – roedd Mai yn dalach na Mam yn barod, ac yn denau fel ystyllen, ond roedd Mam yn grwn. Fyddai neb wedi dyfalu eu bod nhw'n perthyn o gwbl.

Roedden ni'n chwerthin o hyd. Adroddodd Mam hanes am pan oedd hi ychydig yn hŷn na ni ac yn cerdded o Aberdyfi i Dywyn efo'i ffrind, Beryl, a sut bu i'r ddwy ohonyn nhw chwerthin cymaint ar ryw jôc wirion nes iddyn nhw wlychu eu hunain!

'... ac roedd Beryl yn mynnu cerdded adref fel hyn,' ychwanegodd Mam, a dechrau cerdded fel rhywun oedd yn anghyffyrddus iawn mewn trowsus oer, gwlyb. Wel, roedd Mai a minnau'n sgrechian chwerthin wedyn. Plygodd Mai yn ei chwrcwd, roedd hi'n chwerthin cymaint. 'Gwylia di nad wyt *ti* ddim yn gwlychu dy hun!' meddai Mam, a chwarddodd Mai fwy fyth.

Wrth i ni gael ein cinio, fedrwn i ddim peidio â gwneud sỳm yn fy mhen.

Brechdan menyn cnau	38c
Creision	20c
Afal	30c
	=88c

Roedd diwrnod allan hyfryd wedi costio tua 88c yr un! A byddai'n rhaid i ni fod wedi bwyta petaen ni wedi aros yn y tŷ, a bydden ni wedi defnyddio trydan hefyd, mae'n siŵr. Felly mewn ffordd, doedd ein diwrnod ni ddim wedi costio ceiniog. Roedd rhan ohonof i eisiau dweud hynny wrth Mam a Mai, ond doeddwn i ddim yn siŵr ai dyna fyddai'r peth iawn i'w wneud – efallai nad oedden nhw eisiau cael eu hatgoffa o ba mor dlawd oedden ni.

Yn nes ymlaen, wrth eistedd ar y soffa efo'r ddwy yn gwylio ffilm roedden ni wedi ei gwylio lwythi o weithiau o'r blaen, cefais deimlad nad ydw i'n ei gael yn aml iawn.

Roeddwn i'n teimlo bod popeth yn mynd i fod yn iawn.

Mai

'Na, na, byth bythoedd amen,' meddwn i'n bendant.
Roeddwn i'n paratoi i fynd i'r ysgol, ac yn rhuthro o
gwmpas y tŷ. 'Ydach chi wedi gweld fy llyfr darllen i?'

‎‎‎‎'Ar ben y popty ping,' atebodd Mam, a stwffiais y
llyfr i'm bag. 'Mae'n rhaid i ti fynd, Mai. Mae hi isio eich
gweld chi'ch dau.'

‎‎‎‎'Nac ydy,' cwynodd Sam wrth dynnu ei got amdano.

‎‎‎‎'Mae hi'n teimlo'n euog am nad ydy hi wedi ein
gweld ni ers cyhyd.'

'Yn union!' Roedd hi'n braf cael rhywun yn cytuno â mi am unwaith. Prin iawn roedd Sam yn cwyno am unrhyw beth, ond pan oedd Nain Saron o dan sylw, medrai o gwyno am oriau.

'Mae'n anodd iddi hi eich gweld chi'n aml, a hithau'n byw mor bell. Mae Bangor bron i ddwy awr i ffwrdd, a dydy hi ddim yn licio gyrru mor bell.'

'Wel, does dim rhaid iddi,' cynigodd Sam. 'Mi gaiff hi aros gartref. Mae'n iawn gen i.'

'Rydach chi'n mynd,' meddai Mam yn bendant. 'Mae eich Nain yn eich caru chi, ac mae hi wedi gofyn am gael treulio amser efo chi. Ac mae hi'n mynd i fod yn aros yn Aberystwyth am ychydig ddyddiau. Bydd hi'n eich codi chi yn ei char ar y ffordd i lawr.'

'Dydan ni ddim yn gorfod aros efo hi dros nos!' meddwn i mewn braw.

'Nac ydach – byddwch chi'n dal y bws yn ôl ar ddiwedd y dydd. Ond mae ganddi hi hawl i'ch gweld chi, bois – mae hi'n nain i chi, wedi'r cyfan. Dim mwy o ddadlau. Mae hyn yn mynd i ddigwydd, ac mae o'n digwydd ddydd Sadwrn. Bydd hi'n eich codi chi am naw.'

'Y bore?!' cwynais.

'Wel, ddim yn y nos, naci.' Ysgydwodd Mam ei phen. 'Ysgol. Rŵan. Byddwch chi'n hwyr.'

Mam fy nhad oedd Nain Saron, ac roedd hi'n byw mewn tŷ mawr crand ar gyrion Bangor. Roedd ei gŵr hi, taid Sam a minnau, wedi marw ers blynyddoedd, a Dad oedd eu hunig blentyn nhw.

Pan oedd Dad dal i fyw efo ni, byddai Nain yn dod i aros weithiau. Roedd hi'n ddynes grand, wastad yn gwisgo dillad lliwgar a llawer o dlysau, a doeddwn i erioed wedi ei gweld hi heb golur ar ei hwyneb. Pan oeddwn i'n fach iawn, roeddwn i'n meddwl ei bod hi'n ocê – er, doedd hi ddim yn chwarae efo ni fel roedd neiniau rhai plant, nac yn mynd â ni i Burger Land neu i'r siop i brynu da-da. Ond wrth i mi fynd yn hŷn, dechreuais sylweddoli ar y ffordd roedd hi'n edrych ar ein tŷ ni, fel petai dim byd yn ddigon da, neu'r ffordd roedd hi'n syllu ar y bwyd roedd Mam wedi ei goginio fel petai hi ddim wedi gweld cyri a reis o'r blaen.

Y tro diwethaf iddi ddod i aros, ddim yn hir cyn i Dad gymryd y goes – dyna pryd penderfynais nad oeddwn i'n hoff ohoni o gwbl. Roedd sawl rheswm am hyn, ond y prif beth oedd pan glywais i hi'n dweud wrth Mam, 'Mae Mai fel fy nheulu i yn union, dwyt ti ddim yn meddwl, Karen? Yn dal ac yn fain. Y llygaid tywyll yna! A Sam fel dy ochr di, bechod. Dydy o ddim yn licio ymarfer corff o gwbl?' Yr hen jadan iddi.

Ar ôl i Dad adael, welon ni mohoni hi am ychydig. Dyna un o'r pethau gorau amdano fo'n mynd, ein bod ni wedi cael gwared arni hi. Ond roedd hi'n ffonio bob hyn a hyn, yn swnio'n gymaint o snob ag erioed, a rŵan roedd rhaid i ni dreulio diwrnod cyfan efo hi.

'Iŵ-hŵ!' Daeth llais Nain Saron drwy'r tŷ, a rhinciais fy nannedd. Roedd hi'n dân ar fy nghroen yn barod. Addewais i mi fy hun na fyddwn i byth, bythoedd yn gweiddi 'Iŵ-hŵ' wrth gyrraedd tŷ unrhyw un.

Roedd hi'n sefyll yn y gegin – wedi ei gadael ei hun i mewn yn lle cnocio. 'Mai!' meddai'n frwd, gan estyn ei breichiau amdana i. Bu bron i mi dagu wrth arogli ei phersawr cryf. 'Rwyt ti wedi tyfu! Ew! Rwyt ti'n debyg i mi pan oeddwn i yn dy oed di.' Dyn a'm helpo i os oedd hynny'n wir.

Daeth Sam i mewn a gwên ar ei wyneb, chwarae teg iddo fo. Wnaeth Nain mo'i gofleidio fo fel roedd hi wedi gwneud i mi. 'Sami! Sut wyt ti, 'nghariad i?' Doedd neb yn galw Sam yn Sami. Enw ci oedd Sami.

Daeth Mam i mewn wedyn, a bu eiliadau byrion o dawelwch chwithig. 'Sut ydach chi?' meddai Mam yn dawel, ac roeddwn i'n casáu Nain am wneud i Mam deimlo mor swil â hyn.

'*Wonderful*, diolch, Karen. A ti?'

'Iawn, diolch.'

'Wel, hidia befo am y job. Mae wastad angen gweithwyr fel ti.'

Roedd hynny'n swnio'n beth cas i'w ddweud, ond fedrwn i ddim gweithio allan pam.

'Wel, ydach chi'n barod i fynd?' gofynnodd Nain. Roedd ei chlustdlysau saffir hi'n disgleirio pan oedd hi'n symud ei phen, ac roedd ganddi got efo secwins arni hi. Roedd hi'n edrych fel y Nadolig.

'Iawn,' meddai Sam. Roedd ei lais yn hollol ddiflas.

'Ocê,' ychwanegais innau.

'Gwych! Bydd gan eich mam drwy'r dydd i lanhau'r tŷ.'

Mae hi'n daith o awr yn y car o Dywyn i Aberystwyth. Erbyn i ni gyrraedd Machynlleth, sydd tua hanner ffordd, roeddwn i wedi cael llond bol ar Nain.

Trio darbwyllo Sam i ddechrau chwarae rygbi roedd hi. Druan ohono fo – doedd ganddo fo ddim diddordeb mewn chwaraeon o gwbl. Chwaraeon oedd yr unig beth yn yr ysgol roedd o wir yn ei gasáu.

'Roedd Aled yn nhîm rygbi a phêl-droed yr ysgol,' meddai Nain. Roedd ei llais hi'n mynd yn feddal i gyd pan oedd hi'n siarad am Dad.

'Mae'n well gan Sam ddarllen a gwneud ei waith cartref. Fo ydy'r bachgen mwyaf clyfar yn y dosbarth,' meddwn i o'r sedd gefn. Doedd dim peryg i Sam ganu ei glodydd ei hun, felly roedd rhaid i mi wneud hynny drosto fo.

'Roedd Aled yn wych yn yr ysgol, hefyd,' atebodd Nain, gan edrych arna i yn y drych. 'Roedd ei adroddiadau'n bleser eu darllen.' Ciledrychodd ar Sam yn y gadair yn ei hymyl. 'Felly mae hi'n bosib gwneud yn dda yn yr ysgol *a* chymryd rhan mewn chwaraeon, hefyd.'

'Dwi'n mwynhau cerdded,' meddai Sam mewn llais bach.

Chwarddodd Nain fel petai hynny'n jôc. 'Nid chwaraeon ydy mynd am dro!'

'Ia, siŵr,' atebais i'n bendant, a syllodd Nain arna i yn y drych eto.

Salad corgimychiaid   £ 4.90

Cyw iâr a sglodion crand £11.80

Pwdin siocled   £ 4.95

                        = £21.65

Sam

Roedd Nain yn waeth nag arfer.

Roedd hi fel petai hi'n gwneud ei gorau glas i wario cymaint o bres â phosib. Roedd hi'n mynnu talu am barcio, hyd yn oed pan ddwedais i lle roedd y maes parcio am ddim. 'Ond mae o'n bellach o ganol y dref! Dydw i ddim eisiau cerdded mwy nag sydd ei angen yn y sodlau yma, cariad.' £4.60 i barcio! Bron i bum punt wedi ei wastraffu cyn cyrraedd y siopau!

'Rŵan,' meddai, gan ein harwain ni i siop ddillad

ddrud yr olwg. 'Dwi am i chi gael beth bynnag rydach chi isio. Peidiwch â meddwl am y gost.'

Nodiodd Mai, gan edrych yn ddigon hapus. Llwyddais i i gael gair preifat sydyn efo hi pan dynnwyd sylw Nain gan dlysau pefriog ym mhen arall y siop.

'Wyt ti am adael iddi hi brynu'r dillad drud yma i ti?' gofynnais. 'Mae hi'n ofnadwy!'

'Yn union,' atebodd Mai, gan godi hwdi oddi ar y bachyn. 'Mae hi'n ofnadwy, ac felly fydda' i ddim yn teimlo'n euog am gymryd ei hanrhegion hi.'

'Mae 'na rywbeth yn slei am hynny,' meddwn i'n ansicr.

Trodd Mai ei llygaid tywyll arna i. 'Gwranda, Sam. Rwyt ti wedi gorfod eistedd yn y car 'na am awr gyfan yn gwrando ar Nain yn bod yn ddigywilydd amdanat ti. Rwyt ti'n haeddu dillad newydd crand, dim ond am beidio â gweiddi arni i gau ei cheg.'

Ochneidiais, a meddwl am y peth.

'Ocê, meddylia amdano fo fel hyn, 'ta,' meddai Mai. 'Mae angen dillad newydd arnat ti. Os nad ydy Nain yn eu prynu nhw, bydd rhaid i Mam wneud.' Estynnodd Mai am bâr o drowsus rhedeg. 'Byddi di'n arbed pres i Mam wrth adael i Nain brynu i ti ... '

Roedd hi'n iawn, wrth gwrs. Dechreuais chwilio drwy'r dillad am rywbeth roeddwn i'n ffansïo pan ddychwelodd Nain.

'Na, na, Mai fach. Dillad del rydan ni isio i ti – ffrogiau, sgertiau, rhywbeth efo tipyn bach o *glitz*. Rho'r dillad rhedeg yna yn ôl, cariad. A Sam, beth am i ti chwilio am rywbeth fydd yn gwneud i ti edrych fymryn yn dalach ... ?'

Roedd Mai a minnau yn ffansïo cael byrgyr i ginio. Fedrwn i ddim cofio'r tro diwethaf i mi gael bwyd rwtsh fel 'na. Roedd hi bron yn dri mis ers i Mam golli ei gwaith rŵan, a ninnau wedi byw ar fwyd rhad ers hynny, a heb gael un têc-awê. Ac roeddwn i'n teimlo'n reit obeithiol pan ddwedodd Nain, 'Reit 'ta! Be' am gael cinio bach? Mi gewch chi ddewis yn lle - unrhyw le o gwbl!'

'Lle byrgyrs,' atebodd Mai yn syth.

'Neu ryw le pitsa,' ychwanegais innau. Chwarddodd Nain.

'O diar. Yn amlwg, bydd rhaid i mi ddewis. Mi wn i'r union le.'

'Deliciosa' oedd enw'r bwyty, a doeddwn i ddim wedi bod i'r fath le yn fy myw. Roedd y dyn oedd yn gweini bwyd yn gwisgo siwt ddu a thei bô, fel petai o ar fin canu opera yn lle nôl pop i Mai a minnau a gwydraid o win i Nain.

'A chofiwch gael rhywbeth i ddechrau, a phwdin wedyn,' meddai Nain, gan wenu arnon ni dros y fwydlen. Fedrwn i ddim coelio'r prisiau. Roedd un darten caws gafr a nionyn coch a salad bach, dim ond rhywbeth bach i ddechrau, yn costio mwy na byrgyr a sglodion yn un o'r mannau roedd Mai a minnau wedi sôn amdanyn nhw wrth Nain.

Roedd y bwyd yn flasus. Fedra i ddim esgus fy mod i wedi medru anghofio'r prisiau. Wrth edrych i lawr ar fy *chicken goujons with twice-baked Anglesey potato chips*, oedd fel nygets cyw iâr a sglodion crand, roedd hi'n anodd credu eu bod yn costio £11.80. Er bod y bwyd yn flasus, doedd o ddim mor flasus â hynny.

Drwy gydol y pryd bwyd, y cyfan wnaeth Nain oedd sôn am Dad. Hel atgofion am pan oedd o'n fachgen ysgol, a pha mor glên a hyfryd a chlyfar a del oedd o. Roedd hi'n syndod i Mai ddal ei thafod gyhyd.

'Ydy o wedi sôn wrthoch chi am y job newydd 'ma yng Nghaerdydd? Ew, mae o wedi gwneud yn dda! Rheolwr ardal, ac mae o'n teithio o gwmpas Cymru yn dweud wrth bawb beth i'w wneud. Dydy o ddim wedi sôn, ond mae'n rhaid ei fod o'n ennill pres mawr.' Doedd gan Mai a minnau ddim syniad, wrth gwrs, achos roedd hi'n fisoedd ers i ni glywed gan Dad. Doedd gen i ddim clem ei fod o'n byw yng Nghaerdydd. Roedd hi'n od meddwl amdano fo'n byw mewn dinas fel 'na, yn mynd i leoedd nad oeddwn i wedi eu gweld erioed.

Dros y pwdin siocled (oedd, dwi'n cyfaddef, bron â bod yn werth y £4.95 roedden nhw'n ei godi amdano) meddai Nain, 'Reit! Beth arall sydd ei angen arnoch chi?'

'Rydach chi wedi prynu llwythi i ni yn barod,' atebais, gan edrych ar y bagiau o gwmpas ein traed.

'Ond dwi i eisiau eich sbwylio chi! Dyna mae pob Nain i fod i'w wneud.' Edrychodd ar ein traed. 'Esgidiau?' Pan ffarweliodd Nain â ni yn ymyl y bws, roedd gan Mai a minnau ormod, bron, i'w gario. Bagiau mawr plastig yn llawn dillad, esgidiau, tlysau i Mai a llyfrau i minnau. Roedd Nain wedi gwario ffortiwn.

'Hwyl fawr i chi. Gobeithio eich bod chi wedi cael diwrnod braf efo fi. Diolch am eich cwmni.'

'Diolch i chi am yr holl bethau,' atebais, gan deimlo nad oedd dweud diolch yn hanner digon mewn gwirionedd.

Wfftiodd Nain, cyn rhoi sws ar fy moch. 'Mi wela' i chi cyn hir.'

'Diolch, Nain,' meddai Mai, cyn ymestyn i roi sws. Roeddwn i ar fin dringo ar y bws adref pan ychwanegodd

Mai, 'Cofiwch ni at Dad, os siaradwch chi efo fo.'

'Be'?' gofynnodd Nain, fel petai hi'n methu deall.

'Os ydach chi'n siarad efo Dad,' ailadroddodd Mai.

'Ond dydach chi ddim ... ?' gofynnodd Nain mewn penbleth.

'Rhaid i ni fynd,' meddai Mai wrth i injan y bws ddechrau chwyrnu. 'Ond dwedwch wrtho fo fy mod i'n falch iawn o glywed am ei swydd newydd o.'

Roedd hi'n gwenu fel giât erbyn iddi eistedd yn y sedd o'm blaen i ar y bws. 'Roeddet ti'n gwybod yn union be' roeddet ti'n ei wneud, yn dweud hynny wrth Nain rŵan,' cyhuddais, ond fedrwn i ddim peidio â gwenu.

'Wel, dydy o ddim ond yn deg iddi hi gael gwybod nad ydy ei hogyn bach hi'n hollol berffaith, wedi'r cyfan. Efallai bydd hi'n rhoi'r gorau i falu awyr am ba mor anhygoel ydy o rŵan.'

Yn y bws ar y ffordd adref, estynnais bensil o 'mhoced, a gwneud sỳm ar gefn un o'r derbynebau. Gweithiais allan faint roedd fy nghinio wedi ei gostio i Nain.

Salad corgimychiaid	£ 4 . 90
Cyw iâr a sglodion crand	£ 11 . 80
Pwdin siocled	£ 4 . 95
	= £ 21 . 65

Dros ugain punt! Byddai hynny'n talu am fy mhecyn bwyd i am fis cyfan.

Mai

Doeddwn i ddim yn meddwl bod pobol yn gegrwth mewn syndod mewn bywyd go iawn, ond dyna sut roedd Mam pan welodd hi ni'n camu o'r bws a'r holl fagiau yn ein dwylo. 'Waw,' meddai hi'n wan, gan roi sws yr un i Sam a minnau. 'Oes 'na unrhyw beth ar ôl yn Aberystwyth o gwbl, neu ydach chi wedi prynu'r cyfan?'

Cymerodd ambell fag gan Sam a minnau i'w cario adref. Roeddwn i wedi ymlâdd, mae'n rhaid i mi gyfaddef. A waeth i mi ddweud y gwir, roeddwn i'n teimlo'r mymryn lleiaf yn euog am sôn am Dad fel y gwnes i cyn i mi ddringo ar y bws. Wedi'r cyfan, doedd dim bai ar Nain am feddwl ei fod o'n berffaith. Hi oedd ei fam o, dyna roedd hi i fod i'w wneud.

'Be' fuest ti'n ei wneud?' gofynnais i Mam, gan drio troi fy meddwl oddi ar hynny.

'Glanhau'r tŷ,' atebodd hi.

'Wnest ti ddim gwrando ar Nain!' ebychodd Sam. 'Doedd dim angen glanhau'r tŷ! A beth bynnag, Mam, mae gan Nain ddynes yn dod i lanhau ei thŷ hi.'

'Hei, hei,' atebodd Mam, a rhybudd yn ei llais. 'Dydw i ddim isio eich clywed chi'n siarad yn gas am eich Nain. Yn enwedig a hithau newydd wario ffortiwn arnoch chi. Mae hi'n meddwl y byd ohonoch chi. Rŵan, brysiwch yn ôl i'r tŷ, dwi isio gweld be' rydach chi wedi ei gael! Mae hi fel y Nadolig yma.'

Ar ôl gwneud paned i Mam ac estyn dau wydraid o ddŵr i Sam a minnau, eisteddon ni ein tri yn yr ystafell fyw a gwagio ein bagiau siopa. Cododd Mam ddefnydd meddal yr hwdi at ei hwyneb er mwyn synhwyro'r arogl hyfryd, newydd sbon yna. Wedyn, daliodd ei llygaid ar y tag pris.

'Bron i £60! Bron i £60 am hwdi!' syllodd ar y tag fel petai camgymeriad arno.

'Dwi'n gwybod,' rholiais fy llygaid. 'Roedd Nain yn gwrthod mynd i'r siopau rhatach. Mi ges i drafferth ei chael hi i gytuno i brynu'r hwdi yna, hefyd – roedd hi'n dweud ei fod o'n gwneud i mi edrych fel hogyn.' Gwgais wrth gofio.

Chwarddodd Sam wrth estyn pâr o jîns o un o'r bagiau. 'Roedd hi'n trio darbwyllo Mai i gael ffrog hir binc efo pili-palod secwins drosti hi.' Gwnes innau sŵn chwydu – fyddwn i byth bythoedd yn gwisgo'r fath beth.

'£55 am jîns?!' ebychodd Mam. 'Ac mae 'na dyllau ynddyn nhw!'

'Fel 'na maen nhw i fod, siŵr!' meddai Sam. 'A sbïa ar y trênyrs yma, Mam! Maen nhw 'r un fath yn union â'r rhai sy' gan Rhys.' A diflannodd Sam i'r llofft i newid.

Roeddwn i'n meddwl am funud bod Mam yn mynd i lewygu. Ddwedodd hi ddim byd, ond wedi cael cip ar y dderbynneb roedd hi.

'Paid â phoeni, Mam. Dyna ydy pris trênyrs y dyddiau yma.'

'Ond mae o'n tyfu mor sydyn! Fyddan nhw ddim yn ei ffitio fo ymhen ychydig fisoedd.'

Daeth Sam yn ôl i mewn, yn wên o glust i glust. Roedd o'n gwisgo ei jîns newydd, ei drênyrs a gostiodd dros gan punt, crys t a hwdi newydd, a chap am ei ben. Doedd o ddim yn edrych fel fy mrawd i mwyach.

'Rwyt ti'n edrych yn ddel,' gwenodd Mam. Roedd hi'n edrych fel petai hi'n ei feddwl o, hefyd.

Soniodd hi ddim mwy am bris unrhyw beth wedyn, dim ond dweud mor grêt roedden ni'n edrych yn ein dillad newydd, edmygu fy nhlysau newydd ac edrych drwy lyfrau newydd Sam. Ar ôl i Sam sôn bod Nain wedi gadael y derbynebau yn y bagiau rhag ofn bod rhywbeth yn mynd o'i le neu ein bod ni eisiau eu cyfnewid nhw am bethau eraill, casglodd Mam y swp o bapurau a'u rhoi nhw ym mhoced cefn ei jîns heb edrych arnyn nhw.

Dim ond ffa pob ar dost oedd ei angen arnon ni i swper – roedden ni'n dal i fod yn llawn ar ôl y bwyd drud efo Nain yn Aberystwyth. Doedd gen i fawr o amynedd gwneud unrhyw beth yn y nos – roeddwn i mor flinedig, felly gwnes i fy ngwaith cartref yn gynnar am unwaith, a gwylio rwtsh ar y teledu. Gorweddodd Sam ar y soffa yn darllen ac yn sgriblan mewn rhyw lyfr nodiadau, ac roedden ni'n dau yn ein gwlâu'n gynnar.

Bu tawelwch am ychydig, cyn i mi ofyn i'r tywyllwch, 'Sam? Wyt ti'n effro?'

'Ydw,' atebodd fy mrawd o'r bync gwaelod.

'Roedd Mam yn dawel heno, on'd oedd?'

'Oedd.' Bu saib arall wrth i ni'n dau feddwl am y peth. Doeddwn i ddim yn arfer poeni fel hyn – Sam oedd yr un oedd yn poeni fel arfer, a minnau'n ei gysuro.

'Wyt ti'n meddwl ei bod hi'n flin efo ni am adael i Nain brynu cymaint o bethau i ni?'

'Nac ydy. Ond dwi'n meddwl fy mod i'n gwybod be' sy'n bod arni.' Cyneuodd Sam y golau bach wrth ei wely, a phwysais dros ymyl y bync i'w weld o'n ffidlan efo'r llyfr nodiadau y bu'n sgriblan ynddo yn gynharach. 'Mae hi'n teimlo'n wael am nad oes ganddi hi ddim pres i brynu pethau fel 'na i ni.'

'Ond does dim ots gen i am bethau fel 'na! Wel, ddim y rhan fwyaf o'r amser, beth bynnag.'

'Edrych.' Pasiodd Sam y llyfr nodiadau i fyny ataf i. Roedd o wedi ysgrifennu sym yn daclus ar y papur.

'Dydy o ddim yn union berffaith. Efallai ei fod o ychydig bunnoedd allan ohoni – dydw i ddim yn siŵr faint oedd dy fwyd di.'

Dillad i Mai:	
Hwdi	£ 60
Trowsus	£ 50
Siwmper	£ 50
Sgert	£ 45
Trênyrs	£ 97

Dillad i Sam:	
Hwdi	£ 60
Jîns	£ 55
Crys t	£ 35
Cap	£ 20
Trênyrs	£ 103

Llyfrau i Sam	£ 36.94
Tlysau i Mai	£ 32.56
Cinio i Sam	£ 21.65
Cinio i Mai	£ 21.65

Cyfanswm	= £687.80

'Paid â malu!' poerais mewn syndod. 'Bron i saith can punt! Mae'n rhaid dy fod ti wedi gwneud camgymeriad.'

'Dwi wedi gwneud y sym dair gwaith,' atebodd Sam. 'Dyna faint gostiodd heddiw i Nain.'

Gwnaeth hynny i mi deimlo'n swp sâl. Roeddwn i'n gwybod ei bod hi wedi gwario llawer, ond doedd gen i ddim syniad ei fod o gymaint â hyn.

Meddyliais am ei hwyneb wrth i ni adael ar y bws. Roeddwn i'n difaru dweud wrthi fel 'na nad oedd Dad byth yn ffonio. Er ei bod hi'n gallu bod yn hen jadan gas, mae'n rhaid bod ganddi feddwl ohonon ni, i wario cymaint.

'Wyt ti'n meddwl y dylen ni fynd â'r pethau i gyd yn ôl a chael y pres yn ôl? Mi fedrwn ni ei roi o i Mam wedyn.' Doeddwn i ddim eisiau gwneud – roeddwn i wrth fy modd efo'r holl bethau newydd. Ond roedd gwario £687.80 ar ddillad a thlysau yn teimlo'n wirion bost.

'Fyddai Mam byth yn gadael i ni wneud hynny,' atebodd Sam. 'Ond mae'r derbynebau ganddi hi, felly mae hi'n gwybod faint mae Nain wedi ei wario. Mae Mam yn gorfod prynu ei dillad i gyd o'r siopau elusen ar y stryd fawr. Dwi ddim yn meddwl ei bod hi wedi gwario £50 ar ddilledyn ers iddi brynu ei ffrog briodas.'

'Mam druan,' gorweddais yn ôl yn fy ngwely, a diffoddodd Sam y golau bach.

'Y peth ydy, Mai, mae rhent mis ein tŷ ni'n costio £450, ac mae Nain wedi medru fforddio gwario £687 mewn diwrnod. Mae'n siŵr fod Mam yn teimlo'n ofnadwy.'

Sam

Ymhen dim o dro, roedd yr hydref wedi gafael. Doedd dim llawer wedi newid yn ein tŷ ni – roedd Mam heb ddod o hyd i swydd o hyd, roedd Dad heb ffonio o hyd, ac aeth gwyliau'r hanner tymor heibio heb i ni wneud fawr ddim. Roeddwn i wedi pryderu y byddai Nain yn cysylltu i holi a gâi Mai a minnau fynd i aros efo hi ym Mangor dros y gwyliau, ond wnaeth hi ddim, diolch byth.

Ac yna, fel petai'r tywydd yn dilyn y tymhorau ysgol, aeth hi'n oer iawn, iawn y tu allan.

Roedd hi'n fis Tachwedd erbyn hynny, a ninnau wedi bod yn ymdopi ag oerni'r hydref drwy wisgo siwmper neu ddau bâr o sanau a rhoi llwyth o flancedi ar ein gwlâu. Ond yn nechrau mis Tachwedd, disgynnodd y tymheredd cwpl o raddau ychwanegol, a doedd gwisgo mwy o ddillad ddim yn ddigon mwyach.

Yn y dechrau, smaliodd pawb nad oedden ni wedi sylwi. Roedd Mai a minnau'n gwybod pa mor ddrud oedd gwres canolog. Roedd Mam wedi dweud hynny o'r blaen. Hyd yn oed y llynedd, pan oedd Mam yn gweithio ac yn cael cyflog, roedd hi'n dal i fod yn gyndyn iawn o gynnau'r gwres. Felly am ychydig wythnosau, dioddefodd Mai a minnau, a Mam o ran hynny, mewn tawelwch. Roedd ar bawb ofn awgrymu y dylen ni wasgu'r botwm bach ar y boeler a oedd yn costio bom ond a oedd yn cynhesu pob man.

Wir i chi, roedd hi'n afiach. Roeddwn i wedi bod yn oer o'r blaen – yn oer wrth fynd am dro neu'n oer wrth daflu peli eira, neu pan anghofiais i fynd â'm côt i'r ysgol ryw ddiwrnod. Ond profiad hollol wahanol oedd bod mor oer yn y tŷ. Doedd o ddim yn teimlo fel cartref, rywsut.

Yn y bore, byddwn i'n deffro ac yn gweld fy anadl yn codi o'm ceg. Mae'n rhaid ei bod hi'n drybeilig o oer i hynny ddigwydd. Wedyn, byddwn i'n codi ac yn gwisgo amdanaf mor sydyn ag y medrwn i. Ond yn amlach na pheidio, roedd fy nillad i'n teimlo'n llaith braidd ar ôl bod yn yr oerfel dros nos, ac roedden nhw'n anghysurus iawn.

'Mae fy nillad i'n teimlo fel petaen nhw newydd ddod allan o'r peiriant golchi!' cwynodd Mai un bore ar ôl gwisgo ei chrys ysgol. Roedd arnaf i ofn y byddai hi'n dweud rhywbeth wrth Mam am gynnau'r gwres, ac y byddai Mam yn teimlo'n ddrwg wedyn, felly meddyliais i'n sydyn.

'Os rhown ni'r dillad ysgol yn y gwely efo ni, mi fyddan nhw'n gynnes braf erbyn y bore.'

Edrychodd Mai arna i fel petawn i ddim yn gall a mwmial rhywbeth dan ei gwynt. Ond y noson honno, sylwais arni'n rhoi ei dillad o dan gynfas ei gwely, ac mi wnes innau yr un fath. Y bore wedyn, gwisgodd y ddau ohonom ein dillad ysgol yng nghynhesrwydd ein gwlâu, ac roedd pob un dilledyn yn sych grimp. Er na ddywedodd Mai ddim byd, roeddwn i'n teimlo'n reit falch ohonof i fy hun.

Ond doedd hynny ddim yn datrys pob problem. Doedd o ddim yn gwneud i mi deimlo'n well pan welwn i Mam yn eistedd ar y soffa, yn darllen a chôt a menig amdani. Doedd o ddim yn cael gwared ar y rhew oedd yn gwneud patrymau ar ochr fewn y ffenestri bob bore. Doedd o ddim yn gwneud gwahaniaeth go iawn. Roeddwn i'n casáu dod adref ar ôl yr ysgol a pheidio â thynnu fy nghôt drwy'r nos.

Dechreuodd Mai dreulio'r rhan fwyaf o'i nosweithiau yn nhŷ Jess. Pan fyddai'r llyfrgell ar agor, byddai Mam yn mynd i'r fan honno ac yn eistedd wrth reiddiadur tra oedd hi'n darllen. Byddwn i'n mynd i'r gwely'n gynnar ac yn gwneud fy ngwaith cartref ar fy nglin – roedd hi'n gynhesach fel 'na.

Ddiwedd mis Tachwedd, roeddwn i'n siŵr fod Mai yn mynd i gracio. Roedd hi'n aros allan mor hir â phosib, a phrin yn edrych ar Mam na minnau, fel petaen ni ar fai am fod nwy mor ddrud. Un bore Sul, wrth drio gwneud ei gwaith cartref wrth fwrdd y gegin, taflodd ei beiro i lawr ac ebychodd, 'Fedra i ddim gwneud hyn mwyach! Mae fy llaw i'n crynu gormod, fedra i ddim ysgrifennu. Mae hyn yn hollol wirion. Mae'n rhaid bod ffordd o gael pres i gynnau'r gwres. Byddwn ni'n mynd yn sâl … '

A dyna'n union pryd canodd y ffôn.

Mai

'Eich tad chi sy' 'na,' meddai Mam, yn dawel ac yn syn, wrth syllu ar ei enw ar sgrin fach y ffôn.

'Dad?' ailadroddodd Sam, fel petai o'n rhywun mawr, pwysig – yn seren ffilm neu'n ganwr pop.

Nodiodd Mam yn fud, a rhoi'r ffôn i Sam.

'Dwi ddim isio siarad efo fo,' meddwn i, yn union wrth i Sam bwyso'r botwm bach i ateb. Trois ar fy sawdl

wrth glywed llais bach Sam, fel llo bach, yn dweud 'Helô?'
Doeddwn i ddim eisiau clywed eu sgwrs nhw.

Dilynodd Mam fi i'r llofft, ac eisteddodd ar y gadair
fach yn y gornel mewn tawelwch, hyd yn oed ar ôl i mi
neidio i fyny i'r bync top ac esgus darllen. Ar ôl tipyn,
roeddwn i'n methu dioddef y tensiwn mwyach. 'Os wyt ti
eisiau dweud rhywbeth, Mam, dwed o.'

Ysgydwodd Mam ei phen. 'Dim byd.'

'Pam rwyt ti wedi fy nilyn i yma, 'ta?'

'Ro'n i isio i Sam fedru siarad yn breifat efo'i dad,'
atebodd Mam.

'Baset ti wedi gallu mynd i guddio yn dy lofft dy
hun.' Trois fy nghefn ati. 'Dwi ddim yn mynd i siarad efo
fo.'

Bu tawelwch wedyn eto. Wedyn meddai Mam,
'Does dim rhaid i ti, Mai. Does neb yn mynd i dy orfodi di.'

'Wel ... diolch byth am hynny,' atebais, ond
roeddwn i wedi fy synnu. Roeddwn i'n siŵr y byddai Mam
yn trio fy narbwyllo i.

Roedd Sam ar y ffôn am ryw bum munud cyn iddo
ddod i mewn i'r llofft. 'Mi ddyweda' i wrthi rŵan,' meddai
i mewn i'r ffôn, cyn dweud, 'Mai, mae Dad isio siarad efo
ti.'

'Dim diolch,' atebais, a'm corn gwddw'n dechrau
teimlo'n dynn i gyd. Safodd Sam yno am dipyn.

'Ond mae o'n gofyn ... '

'Dwi ddim isio siarad efo fo, Sam.' Roedd fy llais
i'n swnio'n rhyfedd braidd, fel llais rhywun dieithr.

'Mae Mai braidd yn brysur rŵan, Dad,' meddai Sam
ar y ffôn, ac wedyn, 'Na, na. Mae hi'n iawn. Mae hi jest
...' a doedd o ddim yn ddigon dewr i orffen y frawddeg.

'Dwi ddim yn brysur,' ysgyrnygais i gan droi at Sam.

'Dwi ddim isio siarad efo fo, dyna i gyd.'

'Mae Dad isio siarad efo ti,' meddai Sam wrth Mam. 'Ocê, Dad. Ta ta. Iawn, Dad. Ta ta.'

Aeth Mam i'r gegin i siarad, ac eisteddodd Sam yn y gadair roedd hi wedi ei chynhesu. Roedd ei symudiadau o'n araf ac yn drwm, rywsut, a'i wyneb yn welw ac yn edrych yn wahanol i'r arfer.

'Be' ddywedodd o?' gofynnais ar ôl ychydig, er fy mod i'n fy nghasáu fy hun am ofyn.

'Dim byd llawer. Gofyn oedden ni'n iawn, sut roedd yr ysgol, pethau fel 'na.'

Ysgydwais fy mhen. 'Dydy hynny ddim yn fusnes iddo fo.'

'Roedd o'n gofyn am Oli, ac amdanat ti, ac yn dweud ei fod o'n meddwl amdanon ni bob nos. Mae o wedi cael fflat newydd yng Nghaerdydd. Mae ganddo fo lun mawr ohonon ni ein dau ar y silff ben tan. Llun anferth.'

'Hen lun, Sam. Does ganddo fo ddim llun diweddar – dydy o ddim wedi gweld ni i fedru tynnu llun.'

'Ond dydy o ddim wedi anghofio amdanon ni, chwaith.' Trodd Sam ei lygaid arna i. Roedd o'n edrych mor ifanc fel arfer – yn llawer iau na mi. Roedd pobol yn camgymryd yn aml, yn meddwl fy mod i flynyddoedd yn hŷn na fo. Ond, ar ôl siarad â Dad ar y ffôn y mis Tachwedd hwnnw, roedd llygaid Sam yn edrych yn hen, fel petai o wedi gweld llawer o bethau.

'Be' ydy'r pwynt iddo fo feddwl amdanon ni os nad ydy o'n ein gweld ni? Nid fel 'na mae tad i fod ... ' Ond doedd Sam ddim fel petai'n fy nghlywed i o gwbl.

'Wyddost ti be' ydy'r peth rhyfeddaf, Mai? Roedd o'n swnio'r un fath ag arfer. Fel petai o'n ffonio ar ei ffordd yn ôl o'r gwaith, i ofyn oedd angen iddo fo gasglu rhywbeth o'r siop. Ro'n i bron ag anghofio sut roedd o'n siarad.'

Cyn gynted ag y dywedodd Sam hynny, daeth hen atgof gwirion i fy meddwl i – Dad yn dod adref o'r gwaith bob nos, ac yn eistedd wrth fwrdd y gegin tra oedd yn llacio ei dei, ac yn gofyn, 'Hei Mai, hogan Dad, goleuni fy mywyd … ' A byddwn i'n chwerthin os oeddwn i mewn tymer go lew ac yn gwgu os oeddwn i wedi cael diwrnod anodd. Chwerthin byddai Dad bob tro, beth bynnag oedd fy ymateb i. Dyna'r math o ddyn oedd o. Yn chwerthin o hyd.

Chysgais i ddim ryw lawer y noson honno – rhwng galwad ffôn Dad a'r oerfel, roedd hi'n anodd. Roedd fy meddwl i'n mynnu troi at bethau bach, hen atgofion dibwys – y ffordd roedd Dad yn licio ei dost bron iawn wedi llosgi, fel fi; y ffordd roedd o'n canu pan oedd o yn y gawod; y ffordd y gyrrodd o i ffwrdd, heb droi unwaith i edrych yn ôl.

Sam

Mam gododd y peth yn y diwedd. Doeddwn i ddim wedi disgwyl hynny, ond roedd o'n rhyddhad, hefyd.

'Dwi'n gwybod bod y tŷ yma'n oer. Dwi'n ei deimlo fo hefyd. Mae o wedi mynd yn lle digroeso, a dwi ddim isio hynny.'

Roedden ni'n llowcio brecwast er mwyn cael cyrraedd yr ysgol mewn pryd. O edrych o gwmpas y bwrdd, roedd hi'n amlwg fod Mam yn iawn. Roedden ni i gyd yn gwisgo cotiau a hetiau, a Mam yn gwisgo pâr o fenig gwlân.

Ac, wedi'r cyfan, roedd hi'n fis Rhagfyr erbyn hyn.

'Dwi'n rhy oer i gael cawod,' cwynodd Mai. 'Diolch byth fy mod i'n mynd i nofio efo'r ysgol, neu byddwn i'n drewi'n ofnadwy.'

'Mi wn i, yr aur,' meddai Mam. 'Ond mae gwres yn ddrud. Mae gen i fymryn o bres wedi ei gynilo, felly mi fedrwn i gynnau'r gwres, ond ... '

'O, plîs!' erfyniodd Mai. 'Unrhyw beth!'

'Y peth ydy,' meddai Mam. 'Pres eich trip penblwydd chi ydy o.'

Tawelodd Mai. Edrychodd arna i, ac wedyn ar Mam. 'O.'

'Mae o'n ddigon o bres i gynnau'r gwres am awr neu ddwy gyda'r nos, ac wedyn am hanner awr bob bore. Dim ond am ryw dri mis. Dwi i wedi bod yn cynilo ar gyfer eich pen-blwyddi chi, rydach chi'n gweld.'

'Dim ots am hynny,' meddwn i. Doeddwn i ddim yn siŵr a oeddwn i'n fy nghoelio fy hun ai peidio. Roeddwn i wedi bod yn edrych ymlaen at fynd i Barc y Deri – wedi bod yn meddwl amdano fel yr unig beth da oedd ar y gorwel i ni'n tri, adeg pan fydden ni'n medru anghofio pob dim.

'Defnyddia'r pres i gynnau'r gwres,' meddai Mai mewn llais bach, ond medrwn glywed bod y trip wedi bod yn bwysig iddi hithau, hefyd. 'Mae hynny'n bwysicach.'

Y bore hwnnw, ar ôl gadael y tŷ, digwyddais gymryd cip drwy ffenest y gegin – roedd Mam yn dal i eistedd yno, a'i phen yn ei dwylo. Roedd hi'n edrych fel petai pwysau'r byd arni.

'Dim ond pen-blwydd ydy o,' meddai Mai wrth i ni gerdded adref. 'Dydy o ddim yn bwysig.'

'Rwyt ti'n iawn,' cytunais yn dawel. 'Dydy o ddim

fel petaen ni'n blant bach rŵan, nac ydy. Nid pawb sy'n gwneud ffws mawr ar eu pen-blwyddi.'

Ond roedden ni'n dau yn siomedig. Mae rhai pethau na fedrwch chi eu cyfaddef, hyd yn oed i'ch gefeilles, ac roeddwn i'n methu cyfaddef i Mai gymaint roeddwn i wedi bod yn edrych ymlaen at fynd i Barc y Deri.

Ond doedd pethau ddim yn ddrwg i gyd, cofiwch. Roedd cerdded i mewn i'r tŷ'r prynhawn hwnnw'n brofiad na fyddaf i'n ei anghofio tra byddaf i byw. Roedd o fel lle gwahanol – yn gynnes ac yn groesawgar. Roedd Mam wedi gwneud siocled poeth i ni, ac roedd hi'n wên o glust i glust, wedi cael tynnu ei chôt o'r diwedd.

'Wwww Mam!' ebychodd Mai, gan ruthro at un o'r rheiddiaduron a chynhesu ei dwylo arno. 'Mae hyn yn anhygoel!'

Gwenodd Mam. 'Mae o'n braf, on'd ydy? Dydw i ddim yn cofio'r tro diwethaf i mi dynnu fy nghôt!'

Ar ôl i ni yfed ein siocled poeth, ac ar ôl i mi a Mai roi ein gwaith cartref ar y bwrdd, daeth syniad i mi. 'Doeddwn i ddim yn teimlo mor hapus â hyn pan gyneuon ni'r gwres y llynedd.'

'Wel, efallai bod rhaid mynd heb rywbeth am ychydig er mwyn ei werthfawrogi o'n iawn,' meddai Mai.

Ac ar yr eiliad honno, yr union eiliad honno, fyddwn i ddim wedi newid unrhyw beth yn fy mywyd. Roeddwn i'n berffaith hapus.

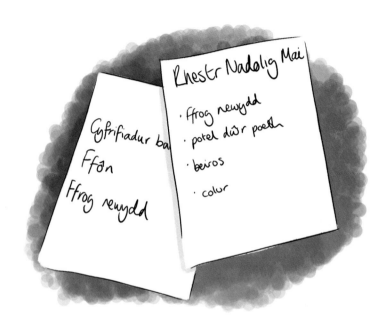

Mai

Chafodd Mam ddim gweld fy rhestr go iawn i. Un prynhawn, yn y llyfrgell, es i ar wefan siopa i weld beth oedd pris pethau. Doedd dim posib prynu cyfrifiadur bach am lai na thri chan punt, ac roedd unrhyw ffôn gwerth ei gael hanner y pris hwnnw. Dim ond ffrog, felly, arhosodd ar fy rhestr, ac ychwanegais bethau eraill, hefyd – potel dŵr poeth, beiros, colur. Pethau bach oedd ar gael o'r siop bunt. Dim ond gobeithio y byddai Siôn Corn yn dod â rhywbeth gwerth chweil hefyd.

Roedd Jess efo fi ar y pryd. Doeddwn i ddim wedi siarad efo hi ryw lawer am fel roedd pethau yn ein tŷ ni – dwi'n meddwl bod arna i gywilydd. Ond roedd hi wedi sylwi ar bethau bach, fel pa mor oer oedd ein tŷ ni cyn i Mam gynnau'r gwres, a pha mor bitw oedd fy mhecyn bwyd i wedi mynd. Doedd gan ei theulu hi ddim llawer o bres, chwaith. Doedd ei rhieni ddim yn gweithio, ac roedd ganddi dri brawd bach. Ond eto, roedd o'n teimlo i mi fel petai ganddyn nhw lawer mwy o bres na ni.

'Ro'n i'n meddwl mai ffôn roeddat ti isio,' meddai Jess yn y llyfrgell wrth edrych dros fy ysgwydd ar y cyfrifiadur.

'Rhy ddrud,' atebais yn brudd.

'Mae Mam a Dad yn rhoi punt bob wythnos i ryw gwmni. Dydy o ddim yn teimlo'n ddrud fel 'na, ond wedyn maen nhw'n cael y cwbl yn ôl cyn y Nadolig, a mwy. Mae o'n talu am anrhegion a thwrci a pethau fel 'na.'

'Dwi'n reit siŵr nad yw Mam wedi trefnu dim byd fel 'na. Roedd hi'n meddwl y byddai hi wedi cael swydd arall erbyn hyn.'

'Wel, mae o'n rhywbeth i feddwl amdano fo ar gyfer y flwyddyn nesaf, on'd ydy? Edrych.' Cliciodd Jess ar y cyfrifiadur a dod o hyd i wefan y cwmni. Roedd o'n swnio'n grêt – yn ffordd wych o sicrhau Nadolig go lew i bobol fel ni.

'Mi wnaf i sôn wrthi. Er, mae'n siŵr y bydd popeth yn well erbyn Nadolig nesaf.'

Gwenodd Jess yn drist. 'Dyna ddywedodd Dad pan gollodd o ei swydd. Roedd o'n meddwl o hyd bod 'na un arall rownd y gornel. Roedd hynny bron i bum mlynedd yn ôl rŵan.'

Ochneidiais.

'Dwi ddim yn dweud mai dyna fydd yn digwydd efo dy fam,' ychwanegodd Jess yn frysiog. 'Ond wyddost ti, mae'n syniad i chi feddwl am bethau fel hyn – cynilo cyn y Nadolig ac ati. Rhag ofn.'

Roedd y wefan yn llawn o ffotograffau lliwgar o bobol yn cael Nadolig anhygoel – pawb yn gwisgo hetiau a siwmperi hyll efo lluniau o geirw arnyn nhw, yn eistedd o flaen byrddau oedd yn drymlwythog â thwrci a stwffin a llysiau a thatws a chacennau a phob math o ddanteithion eraill.

DO YOU KNOW THAT THE AVERAGE FAMILY CHRISTMAS COSTS £856?

Roedd y geiriau mewn print bras, du ar ben y wefan, a phwyntiais atyn nhw. 'Byth bythoedd,' wfftiais.

'Meddylia am y peth, Mai,' meddai Jess. 'Meddylia am yr holl stwff mae plant ein dosbarth ni yn ei gael. Mae'n siŵr ei fod o'n costio ffortiwn. Ac wedyn y bwyd, a'r ddiod. Yr unig adeg mae Mam a Dad yn prynu gwin ydy dros y Nadolig. Ac mae angen bocs o siocled i Nain a swigod bath i Anti Judith a mins peis rhag ofn y bydd rhywun yn galw ... mae'r rhestr yn ddiddiwedd.'

Roedd hi'n iawn, wrth gwrs. Wedi meddwl am y peth – yr holl bethau bach oedd yn gwneud Nadolig yn arbennig. Roedd y cyfan yn mynd i gostio ffortiwn. Ac wedyn, sylweddolais pa mor welw roedd Mam wedi mynd, a pha mor denau achos nad oedd hi'n bwyta cymaint ag o'r blaen, a sut roedd dyddiau'n mynd heibio heb iddi adael y tŷ. A meddyliais i, tybed oedd Mam yn edrych ymlaen at y diwrnod mawr? Neu ai poeni am bres roedd hi wrth feddwl am y Nadolig?

Sam

Dyna'r Nadolig gorau a gefais i erioed.

Wn i ddim beth ddigwyddodd i Mai, ond tua dechrau mis Rhagfyr, cafodd hi chwilen yn ei phen. Dros swper un noson, a hithau newydd ddod yn ôl o'r llyfrgell, dechreuodd ddweud bod angen cynllun arnon ni.

'Oeddech chi'n gwybod bod y Nadolig yn costio, ar gyfartaledd, £856 y teulu? £856! Mae'r peth yn ofnadwy!'

'Wel, ydy,' cytunodd Mam wrth rannu darnau o bitsa poeth i dri phlât. 'Ond mae o'n bwysig dathlu, on'd ydy?'

'Ydy, siŵr. Ond nid dathlu ydy gwario cymaint â hynny ar un diwrnod, mae o'n wirion bost. Dwi'n meddwl y dylen ni drio gwneud pethau'n wahanol eleni.'

Chwarae teg i Mai. Roedd hi'n trio gwneud i arbed arian swnio fel antur fawr.

'Dwi ddim isio i chi'ch dau feddwl gormod am bres … ' dechreuodd Mam.

'Nid am ein bod ni'n dlawd mae hyn, Mam. Wel, nid yn gyfan gwbl. Dwi wir yn meddwl ei fod o'n wirion gwario cymaint ar un achlysur.'

Wel, lwyddodd Mai ddim i ddarbwyllo Mam na minnau y noson honno. Ond yn araf bach, dechreuodd hi gyflwyno syniadau newydd a newidiadau bach. Roedd digon o amser i ni wneud anrhegion i'n gilydd, dywedodd hi, dim ond i ni ddechrau meddwl amdanyn nhw rŵan. A doedd dim angen gwario ar addurniadau drud – roedden ni'n medru eu gwneud nhw ein hunain.

Un nos Wener yng nghanol mis Rhagfyr, dechreuodd Mam a Mai a minnau wneud baner Nadoligaidd i fynd dros y lle tân. Roedd un y llynedd, un blastig a 'Merry Christmas' arni, wedi torri ryw ychydig. Felly, gan ddefnyddio hen gynfas gwely a hen botiau paent, gwnaeth y tri ohonon ni faner newydd – un anferth, oedd yn unigryw i ni. Roedd hi bron â llenwi'r wal uwchben y lle tân, ac er ei bod hi'n flêr ac yn ddiolwg mewn mannau, roedd hi'n well na'r hen faner. Roedd llun o Mam yn rhoi seren ar ben coeden Nadolig, a Mai mewn het Siôn Corn, a minnau gyda chyrn fel carw. Yn y canol, roedd y geiriau 'Nadolig Llawen a Blwyddyn Newydd Dda!'

'Mae'n bryd i ni drafod cinio Nadolig,' meddai Mai ychydig wythnosau cyn y diwrnod mawr. 'Dwi'n meddwl y dylen ni wneud rhestr o'r bwyd sydd ei angen arnon ni. Mi ddarllenais i ar y we fod pobol yn gwario llawer gormod ar fwyd oedd yn mynd yn wastraff, neu ar bethau oedd ddim wir eu hangen nhw. Mae'r archfarchnadoedd yn defnyddio pob mathau o driciau i wneud i chi brynu mwy, felly mae'n haws os ydach chi'n gwneud rhestr ac yn cadw ati hi.'

Syllodd Mam ar Mai yn gegrwth. 'Sut rwyt ti'n gwybod hyn i gyd?'

'Dwi wedi bod i'r llyfrgell er mwyn cael mynd ar wefan arbed arian. Na, paid â sbïo fel 'na arna i, Mam, ro'n i *isio* gwneud. Mae o'n ddifyr.'

'Ond be' am wneud rhestr, ac wedyn mynd i'r siop a gweld bod 'na fargeinion? Ydan ni'n cael prynu'r rheini hefyd?' gofynnais.

Ysgydwodd Mai ei phen. 'Mae o'n dweud ar y we mai peth prin ydy bargen go iawn. Er enghraifft, petaech chi'n gweld bocsys o siocledi, dau am bris un … '

'Grêt!' atebais gyda gwên. 'Mae pawb yn licio siocledi dros y Nadolig.'

'Ond mae'r bocs fymryn bach yn ddrutach na'r siocledi rydan ni'n arfer eu prynu. Wel, dydy hynny ddim yn fargen o gwbl!'

Crychodd Mam ei thalcen. 'Ond ydy, siŵr! Mae hi'n fargen dda iawn, achos rwyt ti'n cael dau focs … '

'Ond dim ond un sydd ei angen, felly mae rhywun yn gwario mwy nag roedden nhw wedi bwriadu gwneud!'

Rhaid i mi gyfaddef, cymerodd hyn dipyn o amser i mi ei ddeall yn iawn – dwi'n cael trafferth efo fo weithiau hyd heddiw wrth weld arwyddion 'Buy one get one half price' neu 'Three for the price of two.' Ond Mai oedd yn iawn. Hen lol ydy'r rhan fwyaf o gynigion fel 'na.

Yn y diwedd, penderfynodd Mam, Mai a minnau ar y

canlynol:

1. Dim twrci. Roedd un bach yn costio £30, ac roedd cyw iâr yn costio £5.
2. Dim ond Mam oedd yn licio ysgewyll, felly dim ond pump neu chwech fyddai'n rhaid eu prynu, yn lle prynu bag mawr a rhai Mai a minnau'n cael eu taflu i'r compost.
3. Doedd dim angen mwy na thri math gwahanol o lysiau, felly roedd moron, pys a brocoli'n hen ddigon. A'r ysgewyll i Mam, wrth gwrs. Roedd llysiau wedi eu rhewi'n rhatach i'w prynu.
4. Dim ond fi oedd yn licio pwdin Nadolig, felly byddwn i'n cael un bach bach, a phwdin siocled i Mam a Mai.
5. Roedd un bocs o siocled yn hen ddigon, ac un bocs o fins peis rhag ofn i rywun alw. Byddai'n rhatach i ni wneud y mins peis, yn ôl Mai, ond roedd Mam yn dweud ei bod hi'n un wael am wneud crwst a'i bod hi'n well eu prynu nhw o'r siop.
6. Poteli mawr o bop yn lle caniau, a doedd Mam ddim eisiau gwin na dim byd felly.

Yn y diwedd, costiodd ein bwyd Nadolig ni £24.82. Roedd o'n llawer mwy nag roedden ni'n ei wario mewn wythnos arferol, ond fe barodd y cyw iâr am ddau ddiwrnod, ac roedd o gystal ag unrhyw ginio Nadolig a gefais i erioed. Gwell, os rhywbeth, am nad oedd rhaid i mi fwyta ysgewyll.

Dwi'n gwybod y byddai Mam wedi licio prynu'r anrhegion gorau oll i mi a Mai, ond roedd hi wedi gwneud yn dda efo'r ychydig o bres oedd ganddi. Cefais i lwyth o lyfrau antur, a phyjamas newydd, a gêm fwrdd. Cafodd

Mai ffrog newydd a cholur a dyddiadur. Ond y pethau gorau oedd y pethau roedden ni wedi eu gwneud i'n gilydd. Roedd Mai wedi prynu hen fframiau ail-law ac wedi eu peintio nhw'n ddel, ac wedi rhoi ffotograffau ohonon ni'n blant ynddyn nhw. Roedd Mam wedi peintio ein henwau ni ar hen blatiau gwyn, ac wedi eu haddurno nhw'n arbennig â blodau a pheli rygbi ac ati. Ond fy anrheg i oedd yr un orau. Tocynnau, wedi eu hargraffu ar y cyfrifiadur yn y llyfrgell er mwyn edrych yn broffesiynol.

TOCYN

Mae'r tocyn hwn yn rhoi'r hawl i chi gael BRECWAST YN Y GWELY ar ddiwrnod o'ch dewis chi.

(I'w ddefnyddio unwaith yn unig. Ni chewch ei ddefnyddio ar unrhyw ddydd Sul)

Chwarddodd Mam a Mai lond eu boliau ar ôl darllen y tocynnau. Roeddwn i wedi gwneud llawer o rai gwahanol – rhai er mwyn cael brecwast yn y gwely, rhai er mwyn golchi'r llestri, rhai er mwyn gwneud brechdan neu fynd i'r siop. Bu bron iawn i Mam grio wrth agor ei rhai hi.

Ar ôl cinio a chwarae fy ngêm fwrdd newydd, eisteddodd y tri ohonon ni i wylio ffilm. Roedd yr hysbysebion wedi dod pan ofynnodd Mam, 'Ydach chi wedi agor eich amlenni oddi wrth Dad eto?'

Edrychodd Mai a minnau ar ein gilydd. Roeddwn i wedi anghofio'n llwyr am yr amlenni a gyrhaeddodd oddi wrth Dad yr wythnos gynt, a rhybuddion drostyn nhw i beidio â'u hagor tan ddydd Nadolig. Heb ddweud gair, es i nôl yr amlenni o dan y goeden, a rhoi un Mai iddi hi.

Roedd y cerdyn yn un doniol – llun o Siôn Corn wedi bwyta gormod o fins peis, a bron â thorri drwy do rhywun oherwydd ei fod yn pwyso cymaint. Ond diflannodd fy ngwên pan agorais y cerdyn a gweld yr holl bres papur oedd y tu mewn iddo.

Papurau ugain punt. Un, dau, tri, pedwar, pump ohonyn nhw. Roedd pump lluosi ugain yn gant. Can punt. Edrychais draw ar Mai – roedd hi wedi cael yr un fath.

'Chwarae teg iddo fo,' meddai Mam yn dawel.

Caeodd Mai y cerdyn yn glep, a stwffio'r cyfan yn ôl i'r amlen. Gwnes innau'r un fath, ond yn arafach. Wrth i'r ffilm fynd yn ei blaen, roeddwn i'n methu peidio â meddwl tybed ble roedd Dad heddiw? Oedd o'n cael Nadolig llawen? Oedd o ar ei ben ei hun, neu oedd ganddo fo rywun i gadw cwmni iddo fo? Ac yn fy nghalon, roeddwn i'n gwybod, faint bynnag o bres oedd gan Dad, doedd o ddim wedi cael diwrnod hanner cystal â ni.

Ar ddiwedd noson Nadolig, eisteddai'r tri ohonon ni yn edrych ar y goleuadau bob lliw ar y goeden. Roedd popeth mor dlws, mor berffaith, a minnau'n gysglyd braf.

'Gwell i ni ddiffodd y golau ar y goeden,' meddwn gan ddylyfu gên. 'Mae o'n costio ffortiwn.'

'Mewn munud,' meddai Mam, gan roi ei breichiau am ysgwyddau Mai a minnau. 'Gadewch i ni ei fwynhau o am ychydig eto.'

Mai

Wn i ddim ai adduned blwyddyn newydd oedd hi neu beth, ond ym mis Ionawr, dechreuodd Dad ffonio'n aml.

Roedd amser maith wedi mynd heibio ers i Mam golli ei gwaith, ac roeddwn i'n dechrau teimlo bod ein teulu ni wedi newid. Roedd pethau'n dal i fod yn anodd – roeddwn i'n dal i wylltio rywfaint pan oeddwn i'n gorfod mynd i'r llyfrgell i wneud fy ngwaith cartref yn lle ei wneud o ar y we yn y tŷ fel y plant eraill i gyd. Doedd dychwelyd i'r ysgol i glywed bod Rhys wedi cael ceffyl yn anrheg Nadolig ddim yn helpu. Ond roedd Mam a Sam a minnau'n teimlo fel teulu bach, yn fwy nag erioed. Roedden ni'n gwneud yn iawn er ein bod ni'n dlawd, ac roedd hynny'n deimlad braf.

Gwrthodais siarad ar y ffôn â Dad y troeon cyntaf, ond ar y drydedd alwad, roedd Sam yn swnio mor druenus pan ddywedodd o, 'Mae Dad wir isio siarad efo ti,' cymerais y ffôn o'i law o. Roedden ni yn y gegin yn bwyta ein swper, a Mam yn trio peidio â gwrando ar ein sgyrsiau ni.

'Helô?'

'Mai! 'Mach i! Sut wyt ti, cyw bach?'

Sticiodd y geiriau yn fy llwnc. Roeddwn i wedi bod mor barod i ddweud helô sydyn er mwyn cael gwared arno fo, ond roedd clywed ei lais yn deimlad rhyfedd iawn. Roeddwn i wedi anghofio ei fod o'n arfer fy ngalw i'n 'cyw bach'.

'Iawn.'

'Rwyt ti wedi bod yn brysur iawn yn ddiweddar – dwyt ti byth o gwmpas pan dwi'n ffonio.' Doedd o ddim yn swnio'n flin, ond medrwn i glywed ei fod o'n deall yn iawn mai dim eisiau siarad efo fo roeddwn i.

'Ffoniaist ti ddim am fisoedd,' atebais, yn fwy gonest nag roeddwn i wedi bwriadu bod. Byddai'n gallach smalio nad oedd ots gen i o gwbl, ond roedd hynny'n amhosib rŵan, a ninnau'n siarad go iawn. 'Dwi wedi dod i arfer peidio â siarad efo ti.'

'Sori, cyw bach,' atebodd Dad, ei lais bron yn sibrwd. 'Mae'n ddrwg gen i, go iawn. Doedd o ddim yn iawn. Ond plîs, rho gyfle arall i mi.'

Doedd gen i ddim ateb i hynny. Wyddwn i ddim yn iawn beth roedd o'n ei feddwl. Oedd o eisiau dod yn ôl i fyw efo ni? Neu dim ond am gael sgwrs fach ar y ffôn bob hyn a hyn?

'Meddylia am y peth, Mai. Mae Sam yn gallu maddau. A byddwn i wrth fy modd yn cael eich gweld chi.'

'Ocê.'

'Ocê?'

'Ocê, mi feddylia i am y peth. Dim ocê, mi wna i dy weld di.'

Clywais ochenaid Dad i lawr y ffôn, ac wedyn ei lais yn dweud 'Iawn, cyw bach. Be' bynnag rwyt ti'n ei feddwl sydd orau.'

Methais gysgu'r noson honno – roeddwn i wedi fy nghynhyrfu ar ôl clywed llais Dad. Y peth gwaethaf oedd na fedrwn i ei gasáu o. Roedd o'n swnio'r un fath ag arfer, yr un fath ag roedd o pan oedd o'n dod i'r llofft i ddarllen stori i Sam a minnau. Ac eto, roeddwn i mor flin efo fo. Doedd dim o'i angen arnon ni, a doedd o ddim yma i Mam pan gollodd hi ei gwaith. Wnaeth o ddim cynnig help. Pwy roedd o'n meddwl oedd o, yn credu ei fod o'n cael mynd a dod fel roedd o'n mynnu?

Dy dad di, dyna pwy ydy o, atebodd y llais bach yn fy mhen. Syrthiais i gysgu'n araf, gan fethu penderfynu a oeddwn i'n flin neu'n falch fy mod i wedi clywed llais fy nhad am y tro cyntaf ers misoedd.

Bwyd Rhad

Tatws
Moron
Nionod
Ffa
Pasta
Reis
Bara
Tomatos mewn tun

Bwyd Drud

Cig
Pysgod
Caws
Prydau parod
Ffrwythau meddal
(mefus a mafon ac
ati)

Sam

Ffa.

Roeddwn i wedi cael llond bol arnyn nhw.

Dwi ddim yn sôn am ffa pob, chwaith – y math
rydach chi'n ei gael mewn tun efo llwyth o saws oren.
Dwi'n hoff iawn o ffa pob – medrwn i fwyta'r rheini o hyd.
Ond roedd Mam wedi dod o hyd i rysáit rhad a maethlon,
ac er fy mod i wedi bod yn hoff ohono fo ddechrau'r gaeaf,
erbyn canol mis Ionawr, roeddwn i'n ysu am gael rhywbeth
gwahanol.

'Cawl ffa eto?' meddai Mai un noson. Roedd hi mewn tymer wael beth bynnag achos roedd Dad wedi ffonio'n gynharach, ac roedd hynny wastad yn codi ei gwrychyn hi am weddill y noson.

'Mae o'n dda i chi. Ac mae o'n rhad,' oedd ateb Mam.

'Ond dwi isio rhywbeth gwahanol am newid.'

'Ocê, 'ta,' meddai Mam, wedi colli amynedd am unwaith. 'Gwna di rywbeth arall sydd yr un mor faethlon ac sy'n costio cyn lleied, Mai.' Caeodd Mai ei cheg wedyn. Doedd hi ddim yn mwynhau coginio o gwbl.

Ond roeddwn i'n dechrau meddwl yr hoffwn i gael tro arni. Nid fy mod i'n dda iawn am goginio, chwaith, ond roedd creu pryd o fwyd rhad yn swnio fel her i mi. Ac felly, ar ôl swper, es ati i holi Mam.

'Faint mae cynhwysion cawl ffa yn ei gostio?'

'Dwi ddim yn siŵr. Ond dydy o ddim yn llawer. Dwi'n prynu bagiau mawr o ffa wedi sychu, ac yn eu rhoi nhw i wlychu dros nos. Mae hynny'n llawer rhatach na'u prynu nhw mewn tuniau.'

Er ei bod hi'n anodd amcangyfrif beth oedd cost pethau, gweithiais allan fod y cawl yn costio rhywbeth tebyg i hyn:

Nionyn	15c
Moron	20c
Ciwb o stoc llysiau	32c
Ffa	35c
Pys	35c
	137c = £1.37

Ew. Roedd hynny'n swper da rhwng y tri ohonon ni – doeddwn i byth yn teimlo'n wag ar ôl cawl ffa. Ac roedd £1.37 wedi ei rannu â 3 yn ... wel, roedd hi'n sym anodd iawn ei gwneud, a bu'n rhaid i mi fenthyg y gyfrifiannell ar ffôn Mam. Ond wedi cael yr ateb, edrychais i fyny arni, yn llawn edmygedd.

'Mam, rwyt ti'n ofnadwy o glyfar.'

Chwarddodd Mam mewn syndod. 'Ydw i? Dwi ddim yn cofio i'r athrawon i ddweud hynny pan oeddwn i yn yr ysgol.'

'Wir. Mae cawl ffa'n costio tua 46 ceiniog yr un i ni. 46 ceiniog! Mae hynny'n llai na bar o siocled!'

Gwenodd Mam o glust i glust. 'Wel, dwi'n falch dy fod ti'n gwerthfawrogi, beth bynnag. Dydy Mai ddim yn hoff iawn ohono fo.'

Doeddwn i ddim yn licio cyfaddef fy mod innau wedi cael digon ar y cawl, rhad neu beidio. 'Hei, Mam. Ga' i drio coginio pethau rhad?'

Edrychodd Mam arna i'n amheus. 'Wel, Sam, dydy o ddim yn llawer o hwyl gorfod prynu'r pethau rhataf bob tro...'

'Ond bydd o'n hwyl i mi! Plîs, Mam. Mi awn ni i'r siop ar ôl yr ysgol yfory. Wna' i ddim gwario mwy na ti, ac mi wna' i'r rhan fwyaf o'r coginio. Dim ond i ti fy helpu i efo'r popty a'r dŵr poeth ac ati. Plîs!'

Ac felly, y diwrnod wedyn, cefais amser i grwydro silffoedd y siop.

Wyddoch chi, byddech chi'n synnu pa fwyd sy'n ddrud a pha fwyd sy'n rhad. Gwnes i restrau yn fy llyfr nodiadau.

Bwyd Rhad	Bwyd Drud
Tatws	Cig
Moron	Pysgod
Nionod	Caws
Ffa	Prydau parod
Pasta	Ffrwythau meddal
Reis	(mefus a mafon ac
Bara	ati)
Tomatos mewn tun	

Felly, ar ôl gwneud symiau sydyn yn fy llyfr nodiadau, rhoddais ambell beth ym masged Mam, a dechrau teimlo braidd yn nerfus am goginio i'r teulu i gyd.

Chwarae teg i Mam. Roedd hi'n grêt am roi help llaw i mi, am dynnu pethau allan o'r ffwrn ac am sefyll efo fi tra oeddwn i'n troi pethau mewn sosban boeth, yn gwneud yn siŵr nad oeddwn i'n llosgi. A wyddoch chi be'? Roedd o'n hwyl. Petawn i wedi cael mynd i'r siop a dewis beth bynnag roeddwn i'n ei ffansïo i swper, mae'n siŵr y byddwn i wedi mynd am bitsa crand neu gyri parod. Ond doedd dim her mewn coginio pethau fel 'na – dyna pam roedden nhw mor ddrud.

Dros yr wythnosau nesaf, coginiais y ryseitiau hyn:

Pasta mewn saws tomato efo nionod a phys

Pasta	30c
Saws tomato	57c
Nionyn	20c
Pys	35c
	142c = £1.42

Mae £1.42 wedi ei rannu â 3, tua 47c yr un.

Cawl tomato a reis

Saws tomato	57c
Nionyn	20c
Reis	25c
	102c = £1.02

Mae £1.02 wedi ei rannu â 3, yn 34c yr un.

Pasta efo ffa wedi stwnsio

Pasta	30c
Ffa	35c
Garlleg	30c
Nionyn	20c
	115c = £1.15

Mae £1.15 wedi ei rannu â 3, tua 38c yr un.

Yr un olaf oedd y gorau o bell ffordd. Roeddwn i wedi sylwi ryw ddiwrnod mor rhad oedd garlleg mewn tiwb bach – nid y math ffres oedd yn boen i'w blicio ac i'w dorri ac a oedd yn mynd yn feddal cyn pen ychydig wythnosau. Roeddwn i'n ei roi o ym mhob dim am ychydig, tan i Mai ddweud y dylwn i beidio â defnyddio cymaint arno fo am fod ein hanadl ni'n tri'n dechrau drewi.

Tua'r un adeg, dechreuodd Mai a minnau gael cinio ysgol.

Flynyddoedd yn ôl, roedd Mam wedi dweud ei bod hi'n well ganddi ein bod ni'n cael pecyn bwyd – rhywbeth i'w wneud efo gwybod yn union beth roedden ni'n ei fwyta. Ond erbyn hyn, a Mam wedi colli ei gwaith, roedden ni'n medru cael cinio ysgol am ddim.

Roedd Mam fel petai'n nerfus wrth ddweud wrthon ni. Un bore, dros frecwast, meddai, 'Mi ges i air efo Miss Evans ddoe.'

Miss Evans ydy'r ddynes sy'n gweithio yn y swyddfa yn yr ysgol. Mae hi'n glên iawn, a phawb wrth eu boddau efo hi, ond roeddwn i'n dal i synnu bod Mam wedi bod yn siarad â hi. Oedd rhywbeth wedi digwydd yn yr ysgol?

'Dwi wedi penderfynu y dylech chi gael cinio ysgol. Mae o ar gael am ddim gan fy mod i wedi colli fy ngwaith, a dwi'n meddwl y byddai'n beth da i chi gael pryd da o fwyd yng nghanol y dydd.'

'Iawn,' meddai Mai, gan chwilio ei bag am lyfr roedd hi wedi ei golli. 'O, grêt, dwi wedi colli fy llyfr sillafu eto … Ydach chi wedi ei weld o? Roedd o gen i ddoe!'

'Oes dim ots gennych chi?' holodd Mam mewn syndod.

'Ha! Dwi wedi bod yn ysu am gael trio'r gacen

siocled maen nhw'n ei chael i bwdin bob dydd Mercher ers blynyddoedd,' meddai Mai. 'O! Dyma fo'r llyfr. Diolch byth.'

'Bobol bach!' ebychodd Mam, gan roi ei dwylo dros ei llygaid. 'Dwi wedi bod yn poeni y byddech chi'ch dau'n ypsetio … '

Ysgydwais fy mhen. 'Ydan ni'n cael dechrau'n syth? Sbageti bolognaise maen nhw'n ei wneud heddiw. Mae arogl gwych arno fo…' Anadlais yn ddwfn, fel petawn i'n gallu ei arogli yn fy nghegin fy hun.

'Wythnos nesa',' meddai Mam gyda gwên. 'A diolch, bois.'

'Am be'?' gofynnodd Mai, gan dynnu ei chôt amdani.

'Am beidio â chwyno.'

Un diwrnod, wrth y til yn y siop, ymestynnodd Mam i roi ei breichiau amdanaf i. Tynnais i'n ôl, yn llawn embaras rhag ofn bod rhywun o'r ysgol wedi ein gweld ni.

'Be' ti'n wneud?' gofynnais.

'Sylwaist ti ddim, yr aur? Uwd i frecwast bob dydd, dy fwyd rhad di i swper – rydan ni wedi llwyddo i brynu gwerth wythnos o fwyd am £10 yn union.'

Fûm i erioed mor falch ohonof i fy hun.

Mai

Daeth Dad i'n gweld ni.

Roeddwn i'n gwybod y byddai o'n gwneud, ar ôl iddo fo ddechrau ffonio o hyd. Roedd Nain wedi dechrau ffonio'n amlach hefyd, dim ond er mwyn brolio Dad. Roeddwn i'n rhoi sain y ffôn mor uchel fel fy mod i'n gallu ei chlywed hi heb ddal y ffôn at fy nghlust. Yna roeddwn i'n ei osod o ar y bwrdd bwyd, ac yn gwneud fy ngwaith cartref tra oedd hi'n parablu fel pwll y môr.

'Ac mae eich tad wedi cael y fflat fwyaf anhygoel ym Mae Caerdydd! Wel! Rydach chi'n gweld dros y dŵr at adeilad y Senedd, a'r cychod bach sy'n mynd a dod! Ac mae o'n gwneud mor dda yn ei swydd newydd, ac mae o'n mynd i'r gampfa ddwywaith yr wythnos rŵan ... ' Dim ond i mi ddweud 'Mmm,' neu 'O, da iawn,' bob hyn a hyn, byddai Nain yn siarad am oriau. Ysgrifennais i dudalennau o waith cartref, gwneud degau o symiau, a darllen llyfrau cyfan tra oeddwn i ar y ffôn efo Nain. Weithiau byddai Mam yn y gegin hefyd, ac er y byddai hi'n trio fy nghael i i roi sylw i'r sgyrsiau efo Nain, bu'n rhaid iddi adael yr ystafell i chwerthin pan ddywedodd Nain ryw dro,

'Dwi wir yn mwynhau ein sgyrsiau ni ar y ffôn, Mai. Dwi'n teimlo fy mod i'n dy adnabod di gymaint yn well ar ôl clywed am dy fywyd di.' Doeddwn i byth yn cael cyfle i ddweud dim am fy mywyd i – roedd hi'n llenwi'r amser yn siarad am Dad.

Beth bynnag, trefnwyd bod Dad yn dod i'n gweld ni un dydd Sadwrn. Roedd o a Mam wedi bod yn siarad, a chafodd Sam a minnau ddim dewis, dim ond Mam yn dweud ryw nos Wener, 'Mae eich tad chi'n dod yma yfory ac yn mynd â chi allan am ginio.' Agorais fy ngheg i ddadlau, ond torrodd Mam ar fy nhraws. 'Paid â dechrau, Mai. Dim ond cinio ydy o. Dwi'n disgwyl i chi fod yn gwrtais.'

'Doedd *o* ddim yn gwrtais iawn, yn cymryd y goes ac yn peidio ein gweld ni am fisoedd,' atebais dan fy ngwynt.

'Dwi'n gwybod nad ydy o'n hawdd i chi. Ond fedraf i ddim ateb dros eich tad – mi gewch chi ofyn iddo fo.'

'Wyt ti'n dod?' gofynnodd Sam i Mam.

'Nac ydw.'

'Basai hi'n well gen i petaet ti efo ni.'

'Ond mae hi'n deg i Dad gael amser ar ei ben ei hun efo chi. Dyna sy'n iawn.'

Ochneidiodd Sam. Roeddwn i'n synnu ei fod o'n teimlo fel hyn – roedd o mor hapus i sgwrsio â Dad ar y ffôn am amser hir, fel petai dim wedi digwydd.

'Ewch allan, mwynhewch eich cinio, a byddwch yn glên efo Dad,' meddai Mam gyda gwên fach wan.

'Ond dwi ddim yn *teimlo'n* glên tuag ato fo,' atebais i.

'Wn i, yr aur. Ond mae Dad yn dod i'ch gweld chi – mae o'n trio. A dyna ydy'r peth pwysig.'

Roedd Nain yn iawn. *Roedd* Dad yn edrych yn dda.

Camodd allan o'i gar crand, a gwenu o glust i glust wrth ein gweld ni'n sefyll yn y ffenest. Roedd o'n gwisgo jîns taclus a chrys gwyn, ac roedd ei wallt du o'n sgleinio efo jel. Roeddwn i wedi anghofio mor olygus oedd o – bron fel seren ffilm. Un o'r pethau od oedd, roedd o'n edrych allan o le yn fan 'ma, er iddo fyw yma am flynyddoedd.

Wedi i ni agor y drws, cydiodd Dad yn Sam a minnau a'n dal ni'n dynn. Roedd o'n dal i arogli'r un fath – persawr eillio drud. Roeddwn i wedi anghofio'r aroglau yna.

'Rydach chi mor fawr!' meddai pan ollyngodd ei afael arnon ni o'r diwedd. Roedd ei lygaid o'n sgleinio fel petai o bron iawn â chrio. 'Fedra' i ddim coelio mor dal ydach chi!'

'Mae pobol yn newid llawer mewn naw mis,' atebais, achos roedd hi'n naw mis ers i ni ei weld o ac roeddwn i eisiau ei atgoffa o hynny.

'Wrth gwrs,' nodiodd Dad yn drist. Edrychodd i fyny y tu ôl i ni, a gweld Mam yn sefyll yn y gegin. 'Haia,

Karen.'

'Helô.' Gwenodd Mam, oedd bron yn ddigon i wneud i mi weiddi arni, 'Paid â gwenu arno fo! Dydy o ddim yn haeddu dy wên di!' Ond cadw'n dawel wnes i.

'Iesgob! Mae hi'n oer yma!' meddai Dad. 'Reit, ydach chi'n barod i fynd?'

'Mae cynnau'r gwres yn ddrud iawn, wyddost ti, Dad,' meddai Sam yn ddiniwed i gyd.

Nodiodd Dad a gwridodd Mam.

Roedd y bwyty yn un crand iawn ar gyrion Dolgellau – lle braf efo ffenestri mawr yn edrych dros yr afon i lawr am y môr. Doedd dim plant arall yna – a dweud y gwir, roedd o'n f'atgoffa i o'r lle aeth Nain â ni yn Aberystwyth. Prin yr edrychais ar y fwydlen o gwbl – roeddwn i wedi penderfynu cyn dod y byddwn i'n archebu'r pethau drutaf, beth bynnag oedden nhw.

'Wyt ti'n siŵr dy fod ti'n licio wystrys?' gofynnodd Dad ar ôl i ni archebu'r cwrs cyntaf. 'Oysters ydyn nhw yn Saesneg – pethau bach mewn cregyn.' Roedden nhw'n swnio'n ffiaidd, ond roedden nhw bron yn £8, felly nodio wnes i.

Pan ddaeth y wystrys at y bwrdd, roedden nhw'n edrych fel petai rhywun wedi tisian i mewn i gregyn. Llygadodd Sam fy mhlât wrth iddo fwyta ei salad cyw iâr, a gwyliodd Dad fy ymateb wrth iddo fwyta ei gawl.

'Rwyt ti'n codi'r gragen at dy geg ac yn gwyro dy ben am yn ôl. Llynca'r holl beth – dwyt ti ddim i fod i gnoi.'

Roedd hyd yn oed yr aroglau'n ddigon i godi cyfog. Ond doedd gen i ddim dewis – fi oedd wedi archebu. Felly llyncais y wystrys afiach.

Gwrthodais fwyta un arall.

Roedd Dad yn flin efo fi – medrwn i ddweud, er ei fod o'n gwneud ei orau i gadw rheolaeth ar ei dymer. Y gwir oedd, byddai wedi bod yn iawn iddo ddweud y drefn – es i allan o fy ffordd i fod yn chwithig y prynhawn hwnnw. Archebais glamp o stecen fawr fel prif gwrs, gan mai dyna oedd y peth drutaf, ac wedyn cymerais dri chwarter awr i gnoi fy ffordd drwy'r cig. Syllodd Dad arna i, fel petai o'n trio datrys problem fawr, ond feiddiodd o ddim dweud y drefn. Dwi'n meddwl ei fod o'n gwybod fy mod i'n barod i ddadlau os oedd o'n rhoi hanner esgus i mi.

Ddywedais i ddim rhyw lawer dros ginio, ond roedd Sam yn clebran fel petai dim wedi digwydd rhwng Dad a fo. Rhaid i mi gyfaddef, roeddwn i fymryn yn flin efo fo am fod mor fodlon i faddau. Dyna oedd trafferth Sam – roedd o mor awyddus i blesio pawb.

Dros bwdin (cacen gaws – yr unig ran o'r pryd a fwynheais i go iawn), penderfynais ar dacteg newydd. Yn lle aros yn dawel, dechreuais siarad. Bûm i'n parablu dros bwdin, tra oedd Dad yn talu, yn y car, ac wrth i ni gerdded ar hyd yr afon. A dim ond un peth y medrwn i siarad amdano – Mam.

Y syniad oedd y byddai siarad am ba mor wych roedd Mam wedi bod dros y flwyddyn ddiwethaf yn gwneud i Dad deimlo'n euog am ba mor wael roedd o wedi bod.

'Mae Mam yn treulio awr yn darllen efo ni bob nos. Mae Miss Edwards yn dweud mai dyna pam mae Sam a minnau'n gallu sillafu cystal – achos Mam.'

'Chwarae teg i Mam, dydy hi byth yn cwyno nad ydy hi byth yn gallu mynd allan y dyddiau yma. Mae hi mor ddrud cael pobol i warchod, meddai hi … Be' amdanat ti, Dad? Wyt ti'n mynd allan yn aml?'

Ac i goroni'r cyfan: 'Mae Mam wedi bod yn anhygoel. Mae hi wedi bod yn fam ac yn dad i Sam a minnau dros y misoedd diwethaf.'

Bu tawelwch hir ar ôl i mi ddweud hynny, ac roeddwn i wrth fy modd. Ha! Roedd Dad siŵr o fod yn teimlo'n ofnadwy.

'Dwi ddim yn hollol dwp, wyddost ti Mai. Dwi'n gwybod fy mod i wedi bod yn ddieithr yn ddiweddar. Ac mae hi'n ddrwg gen i.' Roedd ei lais o'n dawel, ac oedd, roedd o'n swnio fel petai o'n teimlo'n euog. Ond doedd dim ots gen i. Roedd o'n haeddu gwybod pa mor anodd roedd pethau wedi bod.

Roeddwn i ar fin dechrau traethu am bob dim, pan agorodd Dad ei geg eto. 'Dwi yma rŵan, a dwi ddim yn bwriadu bod heboch chi am gymaint o amser eto. Dwi am drio gwneud iawn i chi.'

'Hy,' meddwn i o dan fy ngwynt. Cymerais gip ar Sam – roedd o'n cerdded yn dawel, ei ddwylo'n ddwfn ym mhocedi ei gôt, ei lygaid ar ei esgidiau. Roedd golwg hollol ddigalon arno fo.

'Ro'n i'n meddwl y byddai hi'n braf i chi ddod i aros efo fi ar y penwythnos cyn eich pen-blwydd. Byddwch chi'n licio fy fflat i – mae hi ym Mae Caerdydd. Ac mi awn ni allan am fwyd. Mae eich pen-blwydd chi ar ddydd Mercher, felly byddwch chi efo Mam ar y diwrnod ei hun.'

Ein pen-blwydd ni. Doeddwn i ddim wedi meddwl rhyw lawer amdano ers i ni benderfynu peidio â mynd i Barc y Deri. Dim ond rhyw chwe wythnos oedd i fynd. Roedd Mam wedi crybwyll cael pitsa ac ambell westai yn y tŷ – rhywbeth tawel, gan obeithio y byddai mwy o bres i ddathlu'r flwyddyn nesa'.

'Ac ar y dydd Sadwrn, ro'n i wedi meddwl mynd â

chi i Barc y Deri,' ychwanegodd Dad. 'Dydy o ddim yn rhy
bell o Gaerdydd, a dwi wedi bod eisiau mynd erioed.'

Sam

Ceisiodd Mai wrthod.

Naddo – gwnaeth hi fwy na hynny. Bu Mai yn strancio'n ofnadwy, yn stompio drwy'r tŷ yn ei thymer, ac yn ffraeo â Dad ar y ffôn. 'Caerdydd, ocê, dim ond am benwythnos. Ond dwi ddim yn mynd i Barc y Deri efo ti. Dwi DDIM.'

Roedd byw efo hi'n uffern, a chefais i gysur o'r peth oedd wedi dechrau mynd yn arfer gen i: estyn am fy llyfr nodiadau bach a gwneud symiau.

Cyn i bopeth ddigwydd, cyn i Dad adael a chyn i Mam golli ei swydd, roeddwn i wedi casáu gwneud mathemateg yn yr ysgol. Roedd hi'n llawer gwell gen i ysgrifennu stori neu wneud gwaith celf. Ond roedd rhywbeth yn wahanol am wneud symiau oedd yn gwneud synnwyr i mi – pres go iawn, neu werth pethau. Roedd gweld y rhifau wedi eu hysgrifennu'n daclus yn fy llyfr yn gwneud popeth yn haws, fel petawn i'n medru gweithio unrhyw beth allan petawn i ond yn canfod y ffordd o ddatrys y sym yn iawn.

Felly pan oedd Mai yn gweiddi ar y ffôn efo Dad, 'Dwi ddim isio dy weld di!', roeddwn i wrthi'n gweithio allan faint fyddai tocynnau i Barc y Deri yn ei gostio. A phan oedd Mam yn trio rhesymu efo hi: 'Mae o'n dal i fod yn dad i ti, sut bynnag rwyt ti'n teimlo', roeddwn i'n trio dyfalu faint fyddai car Dad wedi ei gostio. A phan oedd Mai yn y bync uchaf uwch fy mhen i, yn smalio ei bod hi'n snwffian am ei bod hi'n hel annwyd yn lle cyfaddef ei bod hi'n crio, roeddwn i'n trio cymharu beth oedd y gwahaniaeth rhwng gwerth fflat grand yng Nghaerdydd a byngalo bach yn Nhywyn.

Mynd wnaethon ni yn y diwedd, wrth gwrs. Wn i ddim beth ddywedodd Mam wrth Mai, ond ar ôl i'r ddwy gael sgwrs dros bowlen o hufen iâ un noson, roedd Mai fel petai hi'n llai blin ac yn hapusach.

Daeth Dad i'n casglu ni yn ei gar. Edrychais drwy'r ffenest gefn gan godi llaw ar Mam tan iddi ddiflannu rownd y gornel. Doeddwn i ddim yn poeni amdani – roedd hi'n dweud ei bod hi'n mynd i gael amser da, yn mynd i gerdded i fyny Cader Idris efo criw o ffrindiau a mynd i dŷ hen ffrind ysgol i gael swper a photel o win. Ond roedd meddwl am fod hebddi'n dal i deimlo'n rhyfedd. Roedd hi wedi bod yn amser hir ers i ni dreulio noson ar wahân, ac yn sydyn roeddwn i'n teimlo fel hogyn bach unwaith eto.

Ymhen dwy awr, roedd y car wedi gwibio ei ffordd i Gaerdydd a ninnau yn y traffig ar gyrion y ddinas. Doeddwn i ddim wedi bod mewn car mor grand ag un Dad erioed o'r blaen – roedd y seddi'n rhai lledr meddal, a'r system sain yn gwneud i mi deimlo fel petawn i mewn cyngerdd yn hytrach nag yn gwrando ar mp3 ar yr A470.

'Dwi mor falch eich bod chi'n dod i weld lle dwi'n byw,' meddai Dad gyda gwên fawr. 'Dwi wir yn gobeithio y byddwch chi isio dod i aros efo fi yn aml.'

'Roedd Nain yn sôn mor braf ydy'r fflat,' atebais o'r sedd gefn.

'Nid dim ond y fflat – y ddinas i gyd. Mae 'na gymaint i'w wneud. Amgueddfeydd, theatrau, sinemâu ... '

'Mae 'na sinema yn Nhywyn,' torrodd Mai ar ei draws. 'Ym Meirionnydd rydan ni'n byw, nid yn Oes y Cerrig.'

Roeddwn i'n disgwyl i Dad ddigio, ond chwerthin lond ei fol wnaeth o. Ar ôl ychydig, dechreuais innau chwerthin hefyd, ac er bod Mai fel petai wedi penderfynu cyn dod ei bod hi'n mynd i fod mor chwithig â phosib, dechreuodd hithau biffian chwerthin cyn pen dim.

Roedd Dad yn dweud ein bod ni wedi bod i Gaerdydd o'r blaen, pan oedden ni'n fach, ond doeddwn i ddim yn cofio dim am y lle. Welais i erioed unrhyw le mor llawn – ceir a siopau a thai a phobl. Gyrrodd Dad o'r naill ben i'r ddinas i'r llall, gan bwyntio at bethau wrth yrru – 'Dyna lle mae'r siopau mawr i gyd'; 'Mae 'na fwyty Indiaidd anhygoel ar y gornel yn fanna'; 'Welwch chi Stadiwm y Mileniwm yn fan acw?'

O'r diwedd, trodd Dad drwyn y car i mewn i faes

parcio mawr ar waelod sawl bloc o fflatiau. Roedd yr adeiladau'n anferth, ac yn edrych yn newydd sbon. Ar ôl casglu ein bagiau o gist y car, aeth y tri ohonon ni i mewn i un o'r blociau, ac i mewn i'r lifft.

'Pa lawr?' gofynnodd Mai cyn pwyso'r botwm.

'Y nawfed,' atebodd Dad.

'Y nawfed?' ailadroddodd Mai mewn syndod.

Gwenodd Dad fel giât. 'Ia. Mae'n rhaid mynd yn uchel i gael y golygfeydd.'

Mae'n rhaid i mi gyfaddef, doeddwn i ddim wedi dychmygu y byddai fflat Dad fel roedd hi. Er bod Nain wedi sôn yn ddiddiwedd am ba mor grand oedd hi, roeddwn i wedi bod yn meddwl amdani fel fersiwn arall o'n tŷ ni. Wedi'r cyfan, dyna ei gartref o tan y llynedd. Ond roedd y fflat yn anhygoel.

Lloriau du sgleiniog; cegin fetel lân; a'r ffenestri! Yn estyn o'r llawr hyd y nenfwd, a golygfa hyfryd o Fae Caerdydd.

Chwarddodd Dad wrth weld yr olwg ar ein hwynebau ni. 'Ydach chi'n ei licio hi, 'ta?'

'Mae hi fel lle mewn hysbyseb,' atebais yn araf. 'Do'n i ddim yn meddwl bod pobol wir yn byw mewn fflatiau fel 'ma ... '

'Dwi'n lwcus iawn,' nodiodd Dad. 'Y swydd newydd yma ... Rŵan! Gadewch i mi ddangos eich llofft i chi.'

Dim ond un gwely sengl oedd yn stafell Mai a minnau, ond roedd Dad wedi benthyg gwely aer ac wedi ei roi ar lawr. Ystafell fach iawn oedd hi, ac yn dywyll braidd, ond doedd fawr o ots gen i.

'Cymer di'r gwely,' meddai Mai, chwarae teg iddi.

'Wyt ti'n siŵr?'

'Ydw. Ti sy'n cael trafferth cysgu, nid fi.' Roeddwn

i'n falch. Er fy mod i'n teimlo'n ddigon bodlon fy myd, roedd arna i ofn y byddwn i'n dechrau troi a throsi a hel meddyliau am Mam pan ddeuai'r amser i fynd i'r gwely.

Peth rhyfedd ydy mor sydyn mae rhywun yn dod i arfer â bod mewn lle newydd. Am awr neu ddwy, roedd fflat Dad yn teimlo fel gwesty, a Mai a minnau ddim yn siŵr beth i'w wneud. Roedd o fel mynd i gartref dieithryn – er ein bod ni eisiau diod, ofynnon ni ddim na helpu ein hunain, ond aros i Dad gynnig, a wnaethon ni ddim rhoi'r teledu mawr 60 modfedd ymlaen, ond aros i Dad ei roi o ymlaen i ni.

Ar ôl i mi ofyn a gawn i ddefnyddio'r tŷ bach, meddai Dad, 'Rydach chi'ch dau i fod i drin y fan 'ma fel eich cartref chi. Does dim rhaid i chi ofyn cyn mynd i'r tŷ bach, mi gewch chi wylio'r teledu neu chwarae ar y cyfrifiadur pa bryd bynnag rydach chi isio.' Aeth â ni i'r gegin, a dangos lle roedd o'n cadw'r pop a'r gwydrau, a dweud y medren ni ein helpu ein hunain. Roedd ganddo fo'r pop piws dwi'n ei licio, a phan welais i o, trodd Dad ata i a dweud, 'Ro'n i'n cofio mai hwn ydy dy ffefryn di, Sam.'

Ar ôl hynny, daeth Mai a mi i arfer yn sydyn. Ymhen dim, roedden ni'n ffraeo dros ba sianel i'w gwylio ar y teledu, ac yn llowcio pop yn syth o'r botel. Archebodd Dad bitsa'r un i ni, ac ymhen hanner awr roedd dyn wedi dod â nhw at y drws. Chafodd Dad ddim llawer o newid o dri phapur deg punt, ond er i mi feddwl am Mam yn trio ein bwydo ni'n tri am bunt y pryd bwyd, mwynheais i'r pitsa'r un fath.

Wyddoch chi beth oedd y peth rhyfeddaf un? Mai. Dwi'n meddwl bod pawb wedi disgwyl brwydr rhyngddi hi a Dad. Roedd hi wedi dweud a dweud gymaint roedd hi eisiau aros gartref, ac nad oedd ganddi unrhyw ddiddordeb mewn dod i Gaerdydd o gwbl. Ond erbyn i ni fwyta llond ein boliau o bitsa ac eistedd yn ôl ar y soffa ledr i wylio ffilm, roedd hi'n berffaith fodlon, yn chwerthin ac yn tynnu coes Dad. A wyddoch chi, pan godais i hanner ffordd drwy'r ffilm i nôl diod, sylwais mewn syndod fod Mai – Mai flin, benstiff, annibynnol – wedi syrthio i gysgu â'i phen ar ysgwydd Dad.

Dyna pryd dechreuodd o.

Doeddwn i ddim wedi teimlo unrhyw beth tebyg o'r blaen. Roedd o fel cryndod yn ddwfn yn fy mol. Roeddwn i'n meddwl i ddechrau mai wedi bwyta gormod roeddwn i, ond na – rhywbeth arall oedd hwn. Gorweddais yn y gwely ar ôl y ffilm, yn methu'n lân â chysgu. Roedd y cyhyrau yn fy mreichiau ac yn fy nghoesau'n teimlo'n llawn egni, ac am y tro cyntaf erioed, roeddwn i'n teimlo fel rhedeg, fel codi o'r gwely bach yma a rasio i lawr y grisiau a rhedeg o gwmpas y ddinas fawr ddieithr yma.

Codais am hanner nos i ddefnyddio'r tŷ bach, a chododd Dad hefyd pan glywodd o sŵn. 'Methu cysgu rwyt ti, boi? Croeso i ti adael golau'r cyntedd ymlaen drwy'r nos os ydy o'n gwneud i ti deimlo'n well.'

'Dim diolch. Mae o'n defnyddio llawer o drydan. Mae'n well gen i ddiffodd y golau.'

Fedrwn i ddim esbonio'r peth i mi fy hun ar y pryd – roedd o'n deimlad hollol newydd. Ond erbyn i mi ddeffro'r bore wedyn, roedd o wedi tyfu yn lle diflannu, a thrwy'r dydd – yn y car, ym Marc y Deri, yn y bwyty byrgyrs ar y ffordd yn ôl i Gaerdydd – tyfodd y teimlad yna hyd nes fy mod i bron â byrstio.

Mai

Wna i ddim traethu am ba mor anhygoel oedd Parc y
Deri. Rydach chi wedi ei glywed o i gyd o'r blaen – wedi
gweld yr hysbysebion, wedi clywed pobol yn dweud mor
ddychrynllyd oedd y reidiau. Ond *roedd* o'n anhygoel. Ces i
ddiwrnod bendigedig.

Roedd Dad yn anhygoel hefyd.

Cyn i mi fynd i Gaerdydd, roeddwn i'n benderfynol
o beidio â maddau iddo fo. Yr unig reswm y cytunais i
fynd o gwbl oedd er mwyn cael cyfle i arteithio Dad.

Penderfynais fod mor chwithig â phosib, a chwyno am bob dim, a gwneud ei benwythnos yn uffern. Y gwir oedd, roeddwn i eisiau ei gosbi fo am ein gadael ni fel y gwnaeth o.

Ond y gwir amdani oedd, er fy mod i'n wyllt gacwn, roeddwn i'n dal i garu Dad. Dwi ddim yn meddwl bod unrhyw beth y byddai o wedi gallu ei wneud i newid hynny. Roeddwn i'n dal i fod yn flin, yn dal i ddal dig, a doeddwn i ddim yn barod i faddau iddo am yr holl fisoedd a aeth heibio heb alwad ffôn nac ymweliad. Ond fedrwn i ddim trafod y pethau yna efo fo eto – byddai'r amser yn dod i wneud hynny ryw dro arall. Rŵan, roedd hi'n bryd cofio beth oedd yn arbennig am ein gilydd, a mwynhau'r penwythnos.

Doedd dim cystal hwyliau ar Sam ym Mharc y Deri – dwi ddim yn meddwl ei fod o wedi cysgu'n dda iawn y noson gynt. Roedd o'n dawel iawn yn y car, a doedd o ddim mor frwd i fynd ar y reidiau â Dad a fi. Roedd o'n cario'r llyfr nodiadau yn y bag bach ar ei gefn, a byddai'n sgriblan rhestrau bach na fedrwn i eu gweld tra oedd Dad a fi'n ciwio neu'n mynd ar reidiau.

'Ydy o'n iawn, tybed?' gofynnodd Dad wrth i ni gymryd ein seddi ar y *Fear Drop 3.0*.

'Wn i ddim,' atebais, gan edrych dros ymyl cerbyd y reid ar Sam, a oedd yn eistedd wrth fwrdd picnic ac yn pwyso dros ei lyfr nodiadau. 'Mae o'n dawelach nag arfer. Efallai mai poeni am Mam mae o – mae o'n poeni am rywbeth o hyd.'

'Be' ydy'r llyfr bach 'na sy' ganddo fo? Dyddiadur?'

Ysgydwais fy mhen. 'Gwneud rhestrau mae o. Symiau, fel arfer.'

'Be', gwaith cartref?'

'Nage. Pethau fel gweithio allan faint mae'n ei gostio i wneud pryd o fwyd. Faint rydan ni'n ei wario mewn wythnos. Y math yna o beth.'

Crychodd talcen Dad mewn penbleth. 'Mae o'n swnio fel peth od i hogyn ei oed o ei wneud. Doedd o byth yn licio mathemateg pan o'n i'n ... ' Gadawodd y frawddeg ar ei hanner. Doedd o ddim yn ddigon dewr i orffen y frawddeg drwy ddweud '... pan o'n i'n byw efo chi.'

'Mi ddechreuodd o pan gollodd Mam ei gwaith. Roedd o'n trio ein helpu ni i beidio â gwario gymaint. Ond mae Miss Edwards yn yr ysgol yn dweud ei fod o wedi gwella ei fathemateg rŵan. Mae o'n un o'r goreuon yn y dosbarth erbyn hyn.'

Dechreuodd y cerbyd symud wedyn, a chyn pen dim roedd Dad a minnau'n sgrechian mewn ofn a phleser, yn cael ein taflu i bob cyfeiriad, ben i waered, o ochr i ochr. Roedd o'n grêt, a daliodd Dad fy llaw drwy'r holl beth.

Yn y gwaelod, eisteddai Sam, ar ben ei hun bach ynghanol yr holl bobl.

Doedd Dad ddim fel Nain. Pan aethon ni i siopa ym Mharc y Deri, edrychodd yn amheus arna i pan geisiais i ei ddarbwyllo i brynu mwclis pili-pala i mi am £40.

'Ches i 'mo fy ngeni ddoe, Mai. Mi gewch chi wario deg punt yr un, a dim mwy.'

Gwariais i fy mhres ar ffotograff o'r tri ohonon ni, a gafodd ei dynnu pan oedden ni ar reid ddŵr, mewn cerbyd oedd ar fin plymio i bwll mawr a'n gwlychu ni i gyd. Roedd Dad a minnau'n sgrechian ond yn gwenu hefyd, a sylweddolais i mor debyg oedden ni – yr un gwallt tywyll a'r un croen golau, yr un wên. Roedd Sam yn y sedd y tu ôl i ni, a golwg boenus ar ei wyneb bach. Fedrwn i ddim peidio â chwerthin pan welais i'r llun – roedd Sam yn poeni cymaint beth bynnag, ac roedd y llun yn ei siwtio'n berffaith.

Dim ond beiro a brynodd Sam yn y siop, er i Dad geisio ei ddarbwyllo i wario mwy. 'Mi fedri di fforddio llyfr nodiadau newydd efo dy bres, boi – mae'n siŵr fod hwnna sydd gen ti yn dechrau llenwi.'

'Dim diolch,' atebodd Sam yn gwrtais. 'Ond dwi wir yn licio'r beiro, diolch.'

Ar y ffordd yn ôl i Gaerdydd, stopiodd y tri ohonon ni am swper mewn bwyty byrgyrs ar ochr y lôn. Rydach chi'n gwybod am y math o le – llawer o fyrddau plastig, gwahanol fathau o fyrgyrs a sawsiau, a phobl ifanc yn gwisgo hetiau coch yn gweini'r bwyd. Er i mi fwyta cinio da, roeddwn i ar fy nghythlwng.

'Wel, dyna i chi un o'r dyddiau gorau i mi gael mewn hydoedd,' meddai Dad gan wthio ei blât i ffwrdd. 'Ond dwi ddim yn meddwl y medra' i orffen fy mwyd. Mae'r holl droelli ar reidiau 'na wedi rhoi stumog wan i mi.'

'Mi orffenna' i o, ar ôl gorffen hwn,' atebais â 'ngheg yn llawn. 'Waw! Mae'r byrgyr yma'n anhygoel!'

'Ydy, diolch Dad,' cytunodd Sam yn gwrtais.

Roedd Dad yn dawel am ychydig, ac yna meddai, 'Mae hi'n ocê, wyddost ti, Sam. Does dim rhaid i ti ddiolch i mi am bob dim. Dwi'n dad i ti – dwi i fod i wneud y pethau yma.'

Doeddwn i heb sylwi tan iddo fo ddweud, ond wedi meddwl, roedd Sam wedi diolch am bob un dim dros y penwythnos. Diolch am y croeso; diolch am gael gwylio'r teledu; diolch am ein bwydo ni. Roedd o'n swnio fel rhywun oedd wedi dod ar ei wyliau at rywun dieithr.

'Sori,' meddai Sam yn wan.

Gwenodd Dad yn drist. 'Does dim angen ymddiheuro. Ond wir. Mae hi'n bleser eich cael chi yma, a chael gofalu amdanoch chi. Rŵan, ar ôl i Mai stopio sglaffio – pwy sydd eisiau pwdin?'

Ac er i Sam wenu a dewis pwdin ac ateb yn gwrtais, sylwais ar rywbeth na welais i mohono fo'n ei wneud erioed o'r blaen. Roedd ei ddwrn o wedi cau mor dynn nes ei fod wedi troi'n wyn.

Roedd rhywbeth yn bod.

Sam

Bore Sul. Roeddwn i wedi pacio fy mhethau cyn i Dad a Mai ddeffro, ac eisteddais ar y soffa yn gwylio cartwnau gyda'r sain wedi ei droi'n isel tan i Mai ymuno â mi. Ymhen ychydig, daeth Dad i mewn yn wên i gyd, ei wallt yn dal i fod yn wlyb ar ôl cael cawod.

'Bore da! Gysgoch chi'n iawn?'

'Do,' atebodd Mai.

'Do, diolch,' atebais innau, er nad oeddwn i wedi cysgu o gwbl, bron.

'Grêt! Ro'n i'n meddwl mynd â chi am frecwast i un o'r caffis i lawr y lôn – maen nhw'n gwneud crempogau anhygoel. I lenwi'ch boliau chi cyn y siwrnai adre. Be' rydach chi'n ei feddwl?'

'Grêt,' atebodd Mai, gan ddylyfu gên. 'Fedra i ddim coelio ei bod hi'n amser i ni fynd yn ôl yn barod.'

'Na finnau,' meddai Dad, gan roi'r peiriant coffi i weithio. 'Mae o'n teimlo fel petaech chi newydd gyrraedd. Ond dwi wir yn gobeithio y byddwch chi'n dod yn ôl cyn bo hir. 'Prin rydach chi wedi gweld Caerdydd o gwbl, a dwi wir am i chi gwrdd â fy ffrindiau i a gweld fy swyddfa newydd i … '

Dechreuodd rhyw raglen am geffylau ar y teledu, ac estynnais i fy llyfr nodiadau. Hen raglen wael oedd hi, ond roedd Mai wrth ei bodd efo hen lol fel 'na.

'Wyt ti'n dal i sgriblan, Sam?' holodd Dad. 'Wyt ti am ddangos y symiau 'ma i mi, 'ta?'

A dyna'n union pryd sylweddolais i beth oedd o, y cryndod yna yn fy mherfedd i oedd wedi tyfu a thyfu dros y penwythnos. Y teimlad fod fy nghyhyrau i'n caledu, a bod fy nwrn i yn troi'n belen fach stiff. Doeddwn i ddim wedi sylweddoli o'r blaen gan fy mod i erioed wedi teimlo fel 'na o'r blaen, ddim i'r un graddau beth bynnag.

Roeddwn i'n flin.

Na, ddim yn flin. Yn gandryll. Yn wyllt gacwn. Yn gynddeiriog. Am y tro cyntaf erioed, roeddwn i'n teimlo fel sgrechian a rhegi a strancio.

Doedd o ddim yn deimlad braf. Wyddwn i ddim a fedrwn i ymddiried yn yr hyn oedd am ddod allan o'm ceg i. Roedd fy ngeiriau i'n teimlo'n beryglus.

'Dydyn nhw ddim yn meddwl fawr ddim i unrhyw un arall,' meddwn i'n dawel, gan deimlo fy hun yn dechrau chwysu.

'Ond baswn i'n licio eu gweld nhw'r un fath,' mynnodd Dad. 'Tyrd i eistedd wrth y bwrdd efo fi, i mi gael gweld.'

Roeddwn i'n teimlo fel petawn i'n breuddwydio wrth i mi gerdded at y bwrdd. Eisteddais yn ymyl Dad, ac agorais y dudalen gyntaf.

'Dyma restr wnes i o'r pethau oedd yn arfer mynd i'n bocsys bwyd ni,' esboniais yn dawel. 'Roedd rhaid i ni dorri'n ôl ar ôl i Mam golli ei gwaith. Felly dyma'r pethau oedd yn y bocsys bwyd wedyn.' Pwyntiais at yr ail restr. 'Llai blasus a diddorol, ond yn arbed £16.30 yr wythnos!'

Gwelais Dad yn llyncu ei boer wrth edrych ar y rhestrau. Dwi ddim yn meddwl ei fod o wedi sylweddoli cyn hynny pa mor dlawd oedden ni. 'Clyfar iawn, Sam. Mae hi'n anhygoel dy fod ti wedi medru gweithio hynny allan.'

'Rydan ni'n cael cinio ysgol am ddim rŵan,' meddai Mai dros gefn y soffa. Hanner talu sylw oedd hi i sgwrs Dad a minnau; roedd hi'n dal i wylio'r rhaglen deledu. 'Mae o'n grêt.'

Trois y dudalen at y sym nesaf. 'Dyma faint gostiodd picnic i ni pan aethon ni i fyny i'r bryniau am y dydd. Dwi'n licio'r un yma, achos mae o'n profi nad oes angen gwario i gael diwrnod da.'

Nodiodd Dad. Dwi ddim yn meddwl ei fod o'n gwybod beth i'w ddweud.

'Mi wnes i'r symiau nesaf 'ma i gyd ar ôl bod allan efo Nain Saron i Aberystwyth am y diwrnod. Dyma faint gostiodd fy nghinio i – pris mis o becynnau bwyd i mi! Dyma faint wariodd Nain ar ddillad i Mai a minnau. Wyt ti'n gweld?' Dangosais y symiau i Dad.

'Chwarae teg i Nain Saron,' meddai'n dawel.

'Roedd hi wedi mwynhau bod efo chi'r diwrnod hwnnw.'

'Roedd hi'n ddigywilydd iawn efo Mam,' atebais yn biwis. 'Petawn i wedi bod yn ddigon dewr, baswn i wedi dweud wrthi am fod yn fwy cwrtais.'

Syllodd Dad arna i'n gegrwth. Trodd Mai yn araf, ei llygaid yn fawr mewn syndod. Doedd neb wedi fy nghlywed i'n bod mor bigog erioed o'r blaen – doeddwn i ddim yn arfer siarad fel 'na.

'Sam!' ebychodd Mai.

'Mi ddywedodd hi y byddai mynd â ni allan am y diwrnod yn rhoi cyfle i Mam lanhau.' Trois at Mai. 'Do?'

'Wel, do, ond fel 'na mae Nain Saron ... '

'Dydy hynny ddim yn esgus.'

Trois dudalennau'r llyfr nodiadau. 'Dyma'r rhestr Nadolig, rhestr o'r pethau roeddwn i eu heisiau. Cyfanswm o £342.98. Felly dyma'r rhestr gafodd Mam ei gweld – £28.50. A dyma'r sym wnes i a Mai efo'n gilydd er mwyn gwneud yn siŵr nad oedden ni'n gwario gormod ar fwyd dros y Nadolig – cyw iâr yn lle twrci, dim gwin i Mam. Mi smaliodd hi nad oedd hi wir isio gwin er mwyn gwneud i ni deimlo'n well. Chwarae teg, 'te?'

Roedd fy llais i'n galed rŵan, yn ddim byd tebyg i'r llais oedd wedi bod yn dweud 'diolch yn fawr' am bob un dim bach dros y penwythnos. Bron na fedrwn i deimlo'r gwaed yn rhuthro drwy fy nghorff – roeddwn i'n teimlo fel petai rhywun arall yn dweud y geiriau yma.

'Ond mi gawson ni gan punt yr un gan Dad yn anrheg Nadolig,' meddai Mai yn wan. Roedd hi wedi diffodd y teledu ac wedi dod aton ni.

'Do. Diolch am hynny, Dad. Roedd o'n deimlad eithaf rhyfedd bod â mwy o bres na Mam.'

Sychodd Dad ei dalcen gyda chledr ei law. 'Do'n i

ddim yn deall ... '

'Dyma'r symiau wnes i tua dau fis yn ôl, i drio
gweld sut bydden ni'n gallu arbed digon o bres ar y biliau
i fynd i Barc y Deri efo Mam, fel roedden ni wedi bwriadu
gwneud fisoedd yn ôl. Ond roedd rhaid i ni ddewis rhwng
cynnau'r gwres a mynd i Barc y Deri, felly dewis y gwres
wnaethon ni.' Edrychais o gwmpas y fflat foethus. 'Mae
hi'n gynnes iawn yma, gyda llaw Dad.'

Dydw i ddim yn cofio rhyw lawer ar ôl hynny. Mae o
fel petai fy nghof i wedi dileu'r darnau mwyaf cas. Ond ar
ôl i ni fynd adref, ar ôl i ni weld Mam eto a chael cysgu yn
ein gwlâu ein hunain am ychydig nosweithiau, adroddodd
Mai yr hanes wrth Mam a minnau.

' ... Ac mi ddywedodd Sam ei bod hi'n anodd
mwynhau'r car crand a'r fflat foethus tra oedden ni'n
gorfod byw ar gyn lleied o arian ... !'

'Naddo!' Trodd Mam ata i.

'Fedra' i ddim cofio,' cyfaddefais. 'Ro'n i'n wyllt
gacwn, dyna i gyd, Mam.'

'Ac wedyn dweud efallai bod y fflat wedi costio
cannoedd o filoedd ond na fyddai hi byth yn gartref go
iawn, a plîs a fyddai Dad yn brysio i fwyta brecwast iddo fo
gael mynd â ni'n ôl i Dywyn cyn gynted â phosib.'

'Fedra' i ddim coelio'r peth,' meddai Mam. 'Dydy o
ddim yn swnio fel fy Sam bach i!'

'Nid dyna'r rhan orau! Wedyn mi safodd Sam ar
ei draed, a dweud mewn llais cadarn, "Efallai nad oes
gan Mam lawer o bres, ond dwi'n teimlo fel petawn i'n
gyfoethog am fod gen i fam fel hi".' Dechreuodd Mam
snwffian crio, a gwenodd Mai yn llawn edmygedd arna i, fel
petaswn i wedi gwneud rhywbeth gwirioneddol ddewr.

Ac efallai fy mod i. Nid bod gwylltio efo Dad

wedi gwneud lles i unrhyw un – byddai wedi bod yn
well esbonio'n rhesymol pam roeddwn i'n teimlo fel
roeddwn i. Ond roedd fy llyfr bach o symiau wedi gwneud
gwahaniaeth i mi – nid dim ond rhestrau a rhifau oedd
ynddo fo, ond straeon cyfan, a hanes ein teulu ni ers i
bethau ddechrau mynd o chwith.

Mae rhai symiau na chafodd Mam a Mai eu gweld.
        Rydach chi'n gweld, roedd Miss Edwards newydd
ddechrau ein dysgu ni am ganrannau. Doedden ni ddim
wedi mynd yn bell iawn efo nhw, ond roeddwn i'n deall
digon i adael can punt, yr arian Nadolig a gefais i gan Dad
mewn amlen ar fwrdd y gegin yn y fflat, ac ysgrifennu'n
daclus arni hi:

Mae Mam yn gwario £10 yr wythnos ar fwyd i ni'n tri.
Mae £10 yn 10% o £100. Mae hyn yn ormod. Plîs rho'r
pres yma i Mam – mae hi'n gwrthod ei gymryd o gen i.

Mai

Does dim y fath beth â diweddglo hapus.

Wel, nid diweddglo cyfan gwbl hapus, beth bynnag.
Dydy bywyd go iawn ddim fel 'na. Weithiau, mae pethau'n
grêt, ac weithiau dydyn nhw ddim mor wych. Fel 'na mae
bywyd.

Ond gwellodd pethau i ni.

Yn gyntaf, pen-blwydd Sam a minnau. Dim ond ni'n
dau, Mam, Oli a Jess yn gwneud pitsas yn y tŷ, ac wedyn yn
eu sglaffio nhw wrth wylio DVD roedden ni wedi ei fenthyg

o'r llyfrgell. Roedd golwg ofnadwy ar y gegin, fel petai hi wedi bod yn bwrw blawd. Ac roedd y pitsas yn anhygoel, bron cystal â'r rhai gawson ni yng Nghaerdydd efo Dad. Wrth gwrs, gwnaeth Sam restr a sym i weithio allan yn union faint roedd y pitsas a'r gacen pen-blwydd wedi ei gostio – roedd o tua £3 y pen. Roedd hynny'n fwy nag roedden ni'n arfer ei wario ond yn rhesymol iawn o hyd.

Ar fore ein pen-blwydd, daeth y postmon â phecyn yr un i ni efo marc post Caerdydd arnyn nhw. I mi, mwclis pili-pala, ac i Sam, llyfr nodiadau crand a set o feiros drud. Roedd cerdyn yr un i ni, ac roedd Dad wedi ysgrifennu yn un Sam:

I Sam ar dy ben-blwydd,
Dyma lyfr nodiadau newydd rhag ofn fod yr hen un yn dechrau llenwi. Dwi'n falch ohonot ti a dy symiau – rwyt ti wedi dysgu llawer i mi. Paid byth â stopio gweithio pethau allan.
Cariad mawr, Dad.

Roedd o'n ffonio bob yn ail noson, hefyd, ac roedd Sam a minnau'n mynd i aros efo fo am y penwythnos tua unwaith y mis. Doedd o ddim yn llawer, ond roedd o'n rhywbeth, a doedd Sam ddim wedi gwylltio efo fo wedyn.

Unwaith, pan ddaeth Dad â ni adref ar ôl trip i Gaerdydd, gofynnodd am gael pum munud o sgwrs breifat efo Mam. Roeddwn i'n sicr ei fod o am ofyn iddi a fyddai o'n cael dod yn ôl i fyw efo ni. Weithiau, yn hwyr y nos pan oedd pawb yn ei gwlâu, roeddwn i'n meddwl mor braf fyddai hynny – cael Mam a Dad efo'i gilydd eto, a'r pedwar ohonon ni'n hapus braf yn yr un tŷ. Ar ôl i Dad ffarwelio â ni a gyrru i ffwrdd yn ei gar, gofynnais i Mam, 'Wyt ti a Dad am fynd yn ôl at eich gilydd?'

Chwarddodd Mam yn uchel ac ysgwyd ei phen. 'Mae'n well i ti gael y syniad yna allan o dy ben rŵan hyn, Mai fach.'

'Ond be' oedd o isio, 'ta?'

'Sgwrs breifat oedd hi, Mai, felly cadwa dy big allan.'

Ond dwi'n meddwl mai trafod pres roedden nhw, achos roedd pethau ychydig yn haws arnon ni ar ôl hynny. Ddim yn hawdd, cofiwch, ond ddim mor anodd ag y buodd hi. A dydy pethau byth yn mynd yn ôl i fod fel roedden nhw, ar ôl i chi fod yn dlawd. Roedd Sam a minnau bob amser yn cofio diffodd y golau cyn mynd i'n gwlâu, hyd yn oed ar ôl i bethau wella.

Ymhen dim, daeth hi'n amser parti pen-blwydd Rhys eto. Prin medrwn i goelio bod blwyddyn gyfan wedi mynd heibio ers yr holl lol efo'r gacen losgfynydd a'r tân gwyllt.

Yn siŵr i chi, roedd rhieni Rhys wedi cadw at batrwm ei ben-blwyddi eraill ac wedi mynd dros ben llestri'n llwyr. Rywsut, llwyddon nhw i drefnu bod ffair fach yn dod i Dywyn, a phump neu chwe reid fach ar gae ar gyrion y dref, afalau taffi a pheiriant siwgr candi. Cwympodd Jess oddi ar un o'r ceffylau ar y chwyrligwgan, a thorri ei gwefus wrth wneud. Yn union fel y llynedd, roeddwn i'n meddwl ei fod o'n barti ofnadwy, a Sam wedi ei swyno'n llwyr gan yr holl beth.

Yn ôl gartref, roedd Mam yn gorwedd fel cath ar y soffa efo nofel. Rhoddodd y llyfr i lawr wrth i ni ddod i mewn. 'Dwi isio clywed yr hanes i gyd,' meddai gyda gwên.

'Roedd o'n chwerthinllyd,' atebais, gan gicio fy

esgidiau i ffwrdd. 'Roedd o'n anhygoel,' meddai Sam, gan dynnu ei gôt.

'Mae gen i newyddion hefyd,' meddai Mam. 'Mae'r ddynes gafodd y swydd yng nghaffi'r Sosban wedi symud i fyw i Fanceinion. Maen nhw newydd ffonio i gynnig y swydd i mi.' Syllodd Sam a minnau ar Mam yn gegrwth. 'Dwi'n dechrau ddydd Llun.'

Felly dyna fo – ein hanes ni, pan gollodd Mam ei gwaith. Medrwn i ddweud llawer iawn mwy, fel yr adeg pan enillodd Sam Wobr Mathemateg yr ysgol, a phan benderfynodd Dad symud yn agosach aton ni, a phan anfonodd Nain Saron flodau at Mam i ymddiheuro am ei hagwedd tuag ati dros y blynyddoedd. Ond stori arall ydy honno.

Sam

Paned a 2 ddarn o dost i Mam yn y gwely: tua 8c
Cerdyn post a stamp i ddweud wrth Dad fy mod i'n meddwl
amdano fo: 76c
Galwad ffôn sydyn i Nain Saron: tua 50c
Bar o siocled i Mai am ddim rheswm: 60c

= Dwi'n teimlo'n gyfoethog rŵan.

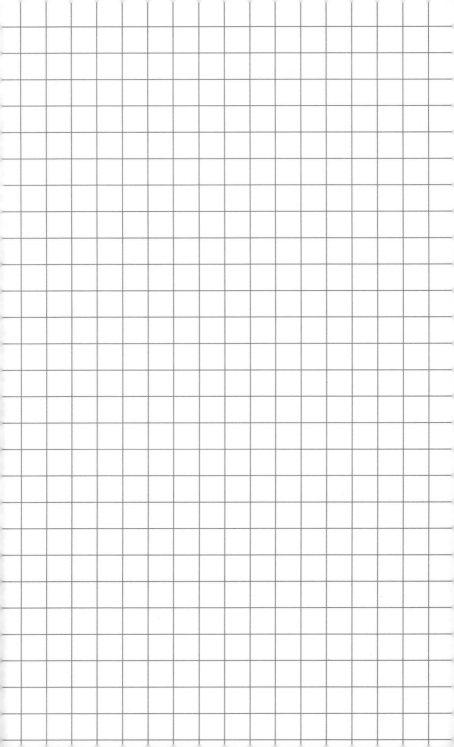

Cyfres y Geiniog

Hefyd yn y gyfres

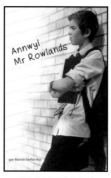

| 978-1-78390-065-7 | 978-1-78390-067-1 | 978-1-78390-064-0 |

Yn ychwanegol i'r nofelau, mae gwefan benodol ar gyfer y gyfres sy'n cynnwys cyfleoedd pellach i ddarllenwyr ystyried y sefyllfaoedd ariannol sy'n deillio o'r testun drwy weithgareddau rhyngweithiol.

Am fwy o fanylion, ewch i
www.canolfanpeniarth.org/cyfresygeiniog